BEHAVIORAL INSIGHTS

MICHAEL HALLSWORTH AND ELPETH KIRKMAN

行動インサイト

マイケル・ホールズワース＆エルスペス・カークマン=著

星野崇宏=監訳　**亀濱 香**=訳

BEHAVIORAL INSIGHTS

MICHAEL HALLSWORTH AND ELPETH KIRKMAN

行動インサイト

※本文中に登場する太字の用語は用語集で解説しています。

シリーズ序文

　マサチューセッツ工科大学出版局エッセンシャルナレッジシリーズは，今注目を集めている話題をわかりやすく簡潔にまとめ，美しい装丁にして読者にお届けします。一流の思想家を著者に迎え，本シリーズでは文化・歴史から科学技術まで多岐にわたる分野において，専門家による意見をまとめています。

　欲しいときにすぐに情報が手に入る今の時代，さまざまな意見を知り，それらを正しく理解，そして表面的な解説を見聞きするのは簡単なことです。しかし，それよりはるかに難しいのは，世界を本質的に理解する際のよりどころとなる基礎知識の習得です。エッセンシャルナレッジの書籍は，このようなニーズにお応えします。専門的なテーマを一般の読者にも理解できるようにまとめ，基礎知識を通して重要な話題に関心をもたせます。コンパクトにまとまったシリーズ本を一冊一冊読み進めることで，読者は複雑な概念を理解する出発点に立つことができるでしょう。

マサチューセッツ工科大学（MIT）
生物工学および情報科学教授
ブルース・ティダー

はじめに

　ふと足を止めて「あれ，なんでこうしたんだっけ？」と自問することは，だれにでもしばしばあることかと思います。立ち止まって周りを見渡してみると，無意識のうちに帰途についていたり，今まさに買おうとしている物をなんとなく勢いで，あるいは念のために買おうと手に取ってはみたものの，実際のところ本当に欲しいのか，必要であるのか疑問に思ったりしたことがあるかもしれません。

　こうした実例を見ると，私たちの行動はしばしば意識の外にある要因に突き動かされていることがはっきりわかります。このことは必ずしも問題ではありません。というのも，もしも私たちがすべてのことに細かく意識を向けて見定めなくてはいけないとしたら，日々の暮らしはとても大変なことになるでしょう。ですが，私たちはこの“無意識”に行動することの重要性を少し軽んじているところがあるようです。政府や企業なども私たちと同様に“無意識”の行動の重要性を軽視しているとすれば，効果の望めない政策，製品，計画を生む結果となります。

　行動インサイトのアプローチでは，何が人々の行動を左右するのかという最新のエビデンス（証拠）を使ってこの問題に取り組み，これらのインサイト（洞察）を実践的に応用します。

またインパクト(効果)の評価に重点を置いているので，実際の問題に対してどのような違いが出たかをはっきりと見ることができます。そのため，行動インサイトはここ10年で政府，企業，また多くの人々から爆発的な支持を得る結果となりました。

　しかし，そんな爆発的支持を得ている行動インサイトの信憑性を疑う声もあります。さらに，社会的な問題には対応できるのか，倫理的に深刻な問題を引き起こさないのかという声も上がっています。そして，「行動インサイト」とはいったい何を指しているのかと戸惑う声も聞かれます。本書はこうした疑問や批判の声に応えるべく，行動インサイトの歴史，現行の実践例，今後の方向性をまとめました。

　第1章では，行動インサイトの主な特徴，実際の問題とそれらに対して人々の行動をエビデンスとした適用例，およびインパクトを評価する実験のやり方を取り上げます。政策，計画，サービスを新たな視点で見直すためのレンズとして，行動インサイトが役立つことが最もよくわかる例を挙げます。第2章では，行動経済学，心理学における二重過程理論，そして行動に対する政府の考え方の変化という三つの思考から生まれた行動インサイトの歴史をひもとき，2010年から行動インサイトのアプローチがどのように，なぜ急激に利用されるようになったのかを説明します。第3章では，行動インサイトを使った五つの実践例を簡潔に紹介します。第4章では，仕事を探している

人のための求人フェアに，行動インサイトを使ってどのように参加者を増やすかという実例を大まかに説明します。この実例は，調べる行動の特定と領域，実行と評価，そして次のステップの考察を含む10のステップに分かれています。第5章では，行動インサイトに対する疑問や批判の声を取り上げます。行動インサイトの効果の持続期間や高度な政策へのインパクトを含めて，実際にこの方法が適用できる限界を考えます。また行動インサイトに関連のある理論がもつ限界と，エビデンスをもとにした短所を検討します。最後に，行動インサイトという方法は倫理的に問題があるのかを考えます。第6章は，行動インサイトの未来についてです。これからも行動インサイトを使い続けるにはエビデンスの基盤固めと強化，そして新たな技法と活用法を重視するべきだと考える根拠を示します。

　ゆくゆくは，行動インサイトが各機関で当たり前に使われるようになるのが理想です —— 皮肉にも私たちがわざわざ「行動インサイト」を意識しなくなるのが，本当の成功といえるのかもしれません。

謝辞

　本書の原稿を読み，意見を述べてくださったオウェイン・サービス，デヴィッド・ハルパーン，ルーク・ハイドリック，アダム・オリバーに御礼申し上げます。また，行動インサイトチームの同僚として何年もともにがんばってきたチームメイトにも感謝いたします。そして，本書の制作にあたりすばらしい編集者となってくれたMITプレスのスタッフであるボブ・プライアーにも感謝の意を表します。

　エルスペスからは本書執筆中（それも私たちのかけがえのない娘イモジェンを妊娠中の大変なとき）に辛抱強くサポートをしてくれたメラニー・スキップ・カークマンに感謝いたします。また，常に支えとなり，愛を与えてくれるカークマン家のスー，アラン，アニーにもこの公的な場を借りて御礼を述べます。

　マイケルからはエレン・ホールスワースに御礼を述べます。エレンの助言と応援なしでは，本書は完成できませんでした。そして執筆の邪魔をして笑わせてくれたアリス・ホールスワースにも感謝いたします。また，長きにわたってマイケルのために色々なことをしてくれたアランとマリオン・ホールスワースとセリ・ラーマンにも感謝の意を表します。

第1章

行動インサイトとは

　「**行動インサイト**」のアプローチでは，現実のさまざまな課題に対して人間行動のエビデンス[*1]を応用します。行動インサイトによって，私たちが実際にどのような行動をとったのか，なぜその行動をとったのかを知ることができ，それを参考に政策，製品，業務の考案や見直しに活用することができます。この方法で得られた結果は，世界各国の政府，機関，企業で用いられています。本書では，行動インサイトという方法の主な原理，なぜこの方法が支持されているのか，そして行動インサイトのもつ可能性を紹介します。

　行動インサイトの方法が新しいとされるのは，人が意思決定をする過程の一般通念自体を疑っている点です。個人，政府，企業のいずれにおいても，私たちが何らかの情報や動機を

[*1] エビデンス：さまざまな学術研究や調査，実験の結果のこと。

得たときには意識して考えたうえで，反応して行動していると考えがちです。もしそうであれば，人々は直面した問題に関連する知識をすべて使い，慎重にそれぞれの行動による代償と利益を天秤にかけ，意識的に自分自身あるいは関連のある人にとって最も利益が大きいと考えられる選択をしていることになります。

　これに対して行動インサイトの鍵となる「インサイト（洞察）」では，私たちの行動のほとんどは無意識で，習慣性があり，なおかつ環境から与えられる手がかりや選択肢がどう与えられるかによって変わります。私たちは意識して考えたうえで決断を下すこともできますが，その頻度は私たちが思っている以上に低いのです。実は私たちは，判断のショートカットあるいはシンプルに「経験則」に導かれて行動しているのです。たとえば，「人と同じようにする」とか「真ん中を選ぶ」という行動です。多くの場合，こういった近道を，選択肢の特徴や置かれている状況に応じて自動的 ―― 無意識 ―― に選んでいるのです。

　したがって，状況や選択肢がどう示されるかは，思っている以上に私たちの行動を左右している可能性があります。ここで，本章で繰り返し取り上げられる食行動を例に挙げてみましょう。「健康」のために何を食べるかを考えたとき，多くの人がサラダを足すという近道を選びます。実際にハンバーガーだけを食べるよりも，ハンバーガーにサラダを足したほうが，カロリーが12.6％低くなると私たちは思っています。食事の量

私たちの行動のほとんどは無意識で，
習慣性があり，
なおかつ環境から与えられる
手がかりや選択肢が
どう与えられるかによって
変わります。

も同様に影響します。食事が2倍の量で提供されると人々は平均して普通の量よりも1/3増しで食べてしまうのです。それから食べ物を取り巻く状況にも食べる量を左右する要因が隠されています。食べ物の入っている袋が大きかったり，取り分けるスプーンなどの用具が大きかったりすると，私たちは多めに食べるのです。

　こういった無意識で自動的な反応は，私たちの目的を達成するべく効果的かつ力強く働きます。もし毎朝，すべてに細心の注意を払って靴ひもを結ばなくてはいけなかったり，購入する食べ物一つひとつのよい点と悪い点を吟味しなくてはいけなかったりしたら，私たちの生活はもっと大変になるのではないでしょうか。このような「速い（ファスト）」思考のおかげで，私たちは毎日何の気なしに何千という賢明な判断と決定をしているのです。

　とはいえ，無意識が落とし穴になる場合もあります。なぜなら，私たちは多くの場合，行動がこのような過程で決められていることに気づいていないからです。ある研究では，ランチビュッフェのときに500g～1,000gのマカロニ&チーズを慎重に取り分けたつもりの人々を調べました（期間は1カ月）。すると，その半数以上の人が，自分で取り分けた量にばらつきがあることにまったく気づきませんでした。そして，もし気づいていたとしても，少なからずその行動について別の理由をつけようとしました。たとえば，今日はいつもよりもお腹が空いて

いたから多めに食べてしまったと言い訳します。しかし，この言い訳は真実ではないことが，同様の研究で明らかにされています。つまり，空腹の度合いではなく，取り分けるときの皿の大きさによって食べる量が増えたことが示されたのです。

　食べる物や，ほかの決断であっても大前提は同じです。個人的な計画でも公共政策でも，目的を達成するためには自分たちの行動を正確に把握しなくてはなりません。立ち止まってよく考えるだろうと，もくろんでつくられた制度や方法に対して，人は思惑通りに動いてはいません。行動インサイトはこういった場面で，実際に何が私たちの行動を左右するのかを示してくれるため，私たちはもっと効率のよい行動を理解することができ，さらには行動を予想できるようになります。

　「インサイト」についてお話ししたところで，今度は「行動」に注目する重要性について見てみましょう。私たちは実際に人が何をするかに興味があります。こうだと決めた姿勢，信念，意図を変えるのも重要ではありますが，必ずしも行動の変化を伴いません。それから，行動を自己申告してもらうのではなく，直接調べることも重要であると考えます。人はよく自分の行動を間違って記憶していたり，不正確に予想したりするものだからです。自分のイメージをよいままにしておきたいという気持ちが部分的に作用している可能性もあります。そのことを認識していたとしても，私たちは社会的に望ましいことや，研究者に耳心地のいいことを選んで報告をしてしまうものです。

　大人を対象とした全国調査の例を見てみましょう。「先月ど
れくらい体を動かしましたか？」という質問に回答した人のう
ち何人かに，調査を行った翌週に加速度計を装着しました。加
速度計は装着した人がどれだけ動いたかを直接測れる装置で
す。自己申告時，男性の 39 ％，女性の 29 ％が推奨されている
最低限の身体的活動レベルに達していると答えました。しかし，
加速度計が示した実際の結果では，男性は 6 ％，女性は 4 ％し
か最低限の身体的活動レベルに達していませんでした。

　簡単にいえば，これは意識して熟考したことと，行動を方向
づける無意識の過程との関係を行動インサイトが示した一例で
す。またこのエビデンスに基づいて提案された解決策について
次の項を見てみましょう。

行動インサイトによる提案

　行動インサイトが提案できる新たな策を説明するため，ここ
でまた食行動を例に挙げます。食べすぎという問題に対して，
何か法的に措置をとる必要があるとします。この場合，行動イ
ンサイトは政策の選択肢の効果を強める役割を果たします。そ
の選択肢とは，情報（人々にどうやってある行動をするべきか，
あるいは避けるべきかとその理由を提示する），インセンティ
ブ*2（行動に伴うコストと利益を変える），立法（してはいけ

---

*2　インセンティブ：報酬や外的な誘因のこと。

ない行動としなくてはいけない行動を法で定める）です。さて，各分野を簡単に見ていきましょう。

● **情報**

　どんな食事をするべきか，また避けるべきかという情報を人々に伝えるのが従来の一般的なやり方でした。しかし，私たちが食べる物を選ぶ行為はほぼ習慣化されており，無意識に選んでいることが少なくありません。そのため，ある食べ物の危険性と利点を知ったとしても私たちの行動にはほとんど変わりはありません。実際，情報を提供することが逆効果となることもあります。たとえば，ある調査の結果，人は副作用のリスクが一つだけ示されている場合よりも複数示されているほうが，その薬を服用する傾向にあることがわかりました。これは私たちのリスクの捉え方に起因しています。

　この原理を踏まえた行動インサイトの力を借りると，私たちは新しい習慣を身につけることに重点を置いた，実用的で新しい「経験則」を使えるようになります。たとえば，シンプルな計画を立てることで食べ物の誘惑に負けずにいられます。「もしウェイターがデザートメニューをご覧になりますか？　と聞いてきたら，コーヒーを頼もう」といった計画です。このような計画は新しい習慣として身につけることができ，効果的であることが多くの研究で示されています。言い換えれば，行動インサイトが示しているのは，何を食べたほうがよいかではなく，

実際にはどのように食べているかという情報を人々に提供するべきである，ということです。食事についてのアドバイスが不要なのではなく，行動に反映しやすいアドバイスの仕方に変えるのが良策といえます。

• インセンティブ

次の政策ツールとしてインセンティブを取り上げましょう。食品の消費に関していえば，不健康な食べ物の価格を上げるために，税金を利用する方法が注目されています。税金の引き上げによってタバコの売上が落ちたように，人々が不健康な食べ物を買う意欲をなくし，できれば健康的な食べ物を買うようにすることが狙いです。たとえば，メキシコ，チリ，アメリカのいくつかの都市ではこの目的を考慮して，砂糖の入った飲料に税を導入しました。

消費者の購買意欲を左右するために，このやり方を検討する価値はあります。ですが，行動インサイトはこれとは違う，さらに大きな影響力を及ぼす可能性を秘めている，税金の導入方法を提案します。それはつまり，食べる物の成分構成を変えるためのインセンティブを与えるのです。研究の結果，同じ量の食事をしたとしてもカロリーが25％低い食事のほうがエネルギーの摂取量を減らせることが示されました。つまり，もっとたくさん食べて埋め合わせをする必要もなく，カロリーの多い食事をした人よりも空腹を感じることもありません。よって，

カロリーの低い食べ物を選ぶことは，食べすぎという問題を解決するのに効果的な方法だということです。この方法であれば，消費者が行動を変えようと努力する必要はなく，同じ製品を購入しても健康に与える悪影響は少なくなるのです。

　2016年に導入が発表されたイギリスの砂糖入り飲料税（ソフトドリンク産業税）の中核にあるのも，生産者に対し製品自体を改質させることが目的にあるのです。この政策には，主なターゲットが消費者ではなく生産者の行動であることがわかる二つの特徴があります。まず，飲み物に入っている砂糖の量に応じて税金が上がる点です。100ml当たりに含まれる砂糖の量が5g未満である場合，税金はかかりません。100ml当たりに含まれる砂糖の量が8gを超えると税率は最も高くなり，砂糖の量が5〜8gであれば税率は低くなります。砂糖の含有量という基準値に応じて税率を分けたのは重要で，とても革新的です。以前に税金が導入されたときには，税率は砂糖の含有量で分けられておらず，飲料の量が多ければそれだけ税率が上がるというシステムでした。一方，税率を段階的に分けることで製品の中身を変えるインセンティブを生産者に与えることができます。既存製品も設けられた基準値の近いものを達成すればよく，変更のコストも抑えられます。次に，生産者が製品の中身を変える時間を考慮して，納税の義務化までに2年間の猶予を設けた点です。

　予想通り，課税は効果的でした。生産者はすぐに有名な自社

製飲料の中身を変更しました。そしてたった3年で炭酸飲料から摂取する砂糖の量は一人当たり30%減少しました。これは1日の砂糖の摂取量を一人当たり5g近く減らしたことになります。課税対象である飲料の売上は50%減少しましたが一方で砂糖含有量が少ない，またはゼロの非課税対象である飲料の売上は40%も増加しました。この変化の大きな要因は，消費

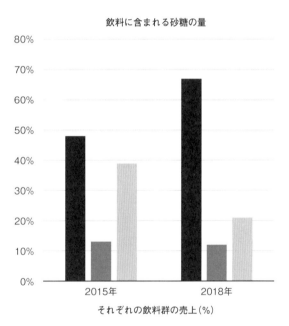

図1

者が購入する飲料の選択を変えたからではなく，製品自体の変更によるものでした。人々の行動を違った角度から見てみると，消費者の習慣を失敗ではなく成功する一因に変え，また変更に伴い企業に重い負担とならないように税金を導入する政策をつくることができたのです。

● 立法

　最後に，政府の法律の制定や施行についての考え方を行動インサイトがどのように変えるかを見ていきます。食べ物に関していえば，共通して法で義務づけられているのは，食品生産者や販売者が製品パッケージやメニューに栄養成分を表示することです。このような法律の多くは表示の仕方まで事細かく定めていますが，共通している（アメリカとヨーロッパ）のは，カロリーなどの数値の表記を部分的に，またはすべてを表示するかという選択肢があることです。これには，人々が自ら摂取したカロリーを把握でき，これをもとに次に食べる物を選べるという狙いがあります。しかし，この狙いは現実的かつ最適であるといえるでしょうか。

　ここでも，行動科学のエビデンスから見ると，このやり方は良策とはいえません。そもそも，1日に何カロリー摂取するのがよいとされているかを知っている人は非常に少ない（たとえばイギリスでは女性の39％，男性の24％）という問題は置いておきます。ここで注目すべき点は，食べ物についての情報は

すばやく判断のショートカットを通って，フィルターにかけられ処理されているという部分です。数字で書かれたカロリーの値は，我々にはこの数字を見ただけで，どのくらいカロリーを摂取したかを瞬時に把握する経験則がないので，カロリーの摂取は意図的に続き，どんどん加算されていきます。これに対して，より効果があるのは直感に働きかけて瞬時に決定ができる情報です。たとえば，信号機の表示は意識しなくても一目で理解できるシンプルな色のシステムを利用しています。ほとんど効果のないシンプルなカロリー表示よりも，信号機の色で示したほうが食べ物の選択に大きく影響することが複数の研究で明らかにされています。ドイツ政府は，この原理を利用して栄養成分表示（「ニュートリスコア」）にシンプルな信号機の表示を導入すると発表しました。

　こういった実例が示しているのは，政策や計画は，最も行動を変える効果があるのは何かというエビデンスを踏まえて伝えられるべきであるという点です。もし新しい法をつくるとしたら，最も行動を変える効果があるのは何かということを理解することです。もしインセンティブを導入するとしたら，その効果を最大限にするためのタイミング，サイズ，形，条件を設定しなければいけません。もし情報キャンペーンを行うとしたら，人々がその情報をどのように知り，処理するのかを考慮する必要があります。いずれにおいても，何が行動を左右するか，また左右する見込みがあるか，そしてその理由まで現実的に理解

しておくことが重要です。

行動インサイトというレンズ

　行動インサイトが最も理解されているのは，おそらく政策，計画，業務を見定めるレンズとしての役割をもつという部分でしょう。そして，そのレンズを通して新たな選択肢を取り入れたり，現存のものを強化したり，現在の活動を見直したりができるのです。

　特に注目を集めるのは，行動インサイトによって示される新たな選択肢です。食べ物の消費についての実例が示したように，エビデンスは私たちの想定を覆し，新しい発想を切り拓いてくれる驚くべき可能性を秘めています。のちほど詳しく述べますが，これらの発想により，選択肢の並べ方――「**選択アーキテクチャ**」と呼ばれる――に，てこ入れをする場合が多くあります。たとえば，多くの人が判断のショートカットを通って「真ん中を選ぶ」という行動をとります。これを「**妥協効果**」といい，この妥協効果に気づくと新しい方法が見えてくることがあります。ある研究では，人々はサイズに関係なく真ん中を選ぶ傾向にあるため，選択肢から一番大きいサイズを除き，代わりに一番小さいサイズを加えることでソフトドリンクの消費量が減ったという結果が出ました。そして注文時の選択肢の示し方をもっと注意深く考えたことで，また新たな好機が生まれました。たとえば，622店舗のマクドナルドに設置した電子タ

ッチスクリーン・キオスクで，砂糖入り飲料の表示を一番上から三番目に移動したところ，砂糖入り飲料を選択する人の数が減ったのです。

とはいえ，行動インサイトは新しいやり方を提供するにとどまりません。レンズとしての役割はほかにもあり，たとえばある働きかけが思いがけず望ましくない行動につながってしまっている状況を発見するというような役割があります。具体的には，政策をつくる際に影響を及ぼすかもしれない先入観を浮き彫りにしたり，このようなルールをつくれば人はこのような行動をとるだろうという間違った想定をして改善策を提示したり，最善と思われる策が実のところ人の行動にまったく影響せず，すでに行われている業務内容を見直したほうがよいことを示したりします。

ここで，行動インサイトがもつ本当の適用範囲と価値について誤解されないよう明言しておくべき点がいくつかあります。一つ目に，行動インサイトは情報，課税，立法といった以前からあるやり方に替わるものではありません —— そしてこれらの選択肢自体を否定するものでもありません。ここまで見てきたように，行動インサイトはこれらの方法が成功するにはどのように実用化されるべきかを助言することができます。次に，行動インサイトは微調整や漸進的な変化をもたらすだけではありません —— あるいは単に個人の決定に焦点を当てているのでもありません。前述で示した通り，行動インサイトは砂糖入

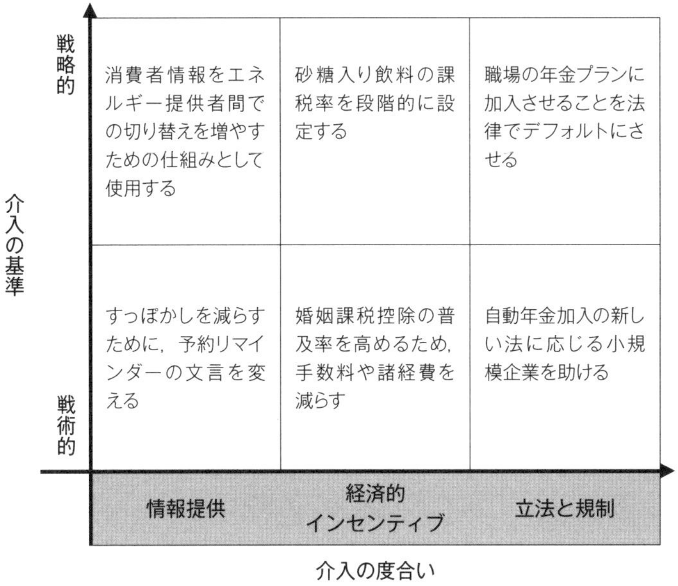

	情報提供	経済的インセンティブ	立法と規制
戦略的	消費者情報をエネルギー提供者間での切り替えを増やすための仕組みとして使用する	砂糖入り飲料の課税率を段階的に設定する	職場の年金プランに加入させることを法律でデフォルトにさせる
戦術的	すっぽかしを減らすために，予約リマインダーの文言を変える	婚姻課税控除の普及率を高めるため，手数料や諸経費を減らす	自動年金加入の新しい法に応じる小規模企業を助ける

介入の基準（縦軸） / 介入の度合い（横軸）

図2

り飲料の課税例のように，システムや政策そのものを見直したり再設計したりするために使用できる方法です。最後に，行動インサイトは単に政策立案者が活用するか否かを好き勝手に選択できるような予備の「道具」ではありません。政策によって影響を受ける行動（殺人に関する法から性教育に至るまで）を考慮しない政府などほぼないのですから，行動インサイトは政策のほとんどすべてに適用できるヒントをもっています。

　図2は，行動インサイトが適用できる広い「分野」別に，そ

れぞれの構想を示したものです。前述した活動内容を簡略化したもの：情報，インセンティブ，立法を横軸に記載しています。縦軸は，行動インサイトの基本的な適用を二つに分類しています。履行されている政策や方針を変える戦術的適用と，政策や方針自体の基礎を構築する戦略的適用です。枠内には行動インサイトの異なった応用方法の例を記載しました。

行動インサイトは実践的で，実証的

　ここまで行動インサイトを実証するエビデンスを大まかに紹介しながら，それらがどのように新しい視点を切り拓けるかを見てきました。しかし，エビデンスの潜在力は行動インサイトの実践的かつ実証的という二つの局面で補強されなければ認められません。

　実践的であるということは個人，組織，あるいは政府が重要と捉えている問題に対して具体的な策を見つけることに焦点を当てることを意味します。行動インサイトを応用するための詳しい手順については第4章でお話ししますが，ここではまず，開始したりやめたり継続したり変化させたりする必要のある行動が何かを特定してから，その行動の障壁や行動を実現させる要因が何かを理解していきます。そして，問題の性質を診断したところで，その行動を左右する具体的な提案を設計します。

　この部分の活動は学術研究の正確な理解に従って行われ，先行研究を忠実に応用しようと試みますが、ここで肝心なのは実

用的であるかという点です。サービスを提供する職務をもつ人々の要求に寄り添った，あるいは実行する人からも実行不可能な要求が生まれない現実的な計画とは何でしょう。負荷がかかってもしなやかなものをつくるにはどうしたらよいのでしょうか。

　同様に，行動インサイトは，新しい提案が実際にどのように

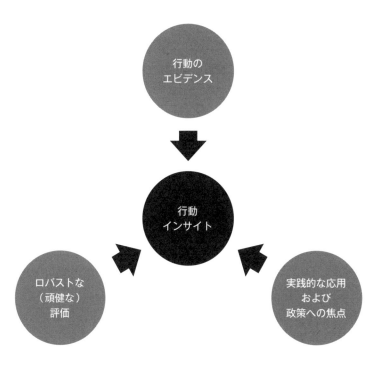

図3

捉えられるのかを正確かつ詳細に知ることにも意識を向けています。人の反応は選択肢がどう与えられるかによって異なります。そのため，行動はメッセージ内の特定の言葉や，行動を完了させるまでにかかる正確な段階の数によって左右されることがあります。行動インサイトで最もよく知られている例の多くはここに分類されます。そして支持する人が多いために，見る人によっては行動インサイトとはすでに実践されているものを微調整したにすぎないのではないかと感じるようです。しかしすでに述べたように，行動インサイトがもたらす効果はそれだけにとどまりません。

　行動インサイトのもう一つの特徴は実証的であることです。行動科学では，適用された「**介入**」の効果を測るため，エビデンスを集めることが非常に重要とされています。エビデンスの審査を重要視するのは，提示の方法や内容によって人々の行動はどう影響されるか──つまり，実際に人は物事をどう捉えているかという論議に直結しているためでもあります。私たちは行動科学を通して人々がどのように反応するかという一般的な予想をすることはできますが，人の行動は複雑で，ある一つのことを決めるのにもたくさんの要因に左右されてしまいます。信頼できる揺るぎないエビデンスを見つけたように思えても，新しい内容に応じてそれに適した介入（提示方法，タイミング）の仕方に変えなければなりません。ある言葉やイメージの組み合わせが，予期せぬ形で裏目に出ないとは限らないので

す。そして，予期せぬ結果が出ると，私たちがいかに人の行動を理解できていないかという懐疑心と謙虚さが生まれます。

　このような懐疑心と謙虚さから，行動インサイトでは設定を実社会に置いて，行動の結果を査定するRCT（Randomized Controlled Trials:「**無作為化比較対照試験**」）を優先して行います。私たちがなぜ態度や考えではなく，行動への影響に焦点を当てているかについてはすでにお話ししました。RCTの詳細についてはのちほど説明しますが，中心となる原理は偶然に起こること（たとえば，サイコロの目のように）を利用して，人々を平均的に同じような特徴 —— 年齢，経済的状況，場所，態度など —— をもつグループに分けて実験を行います。グループ同士に類似性をもたせるのは，何もしなければ二つのグループの人々は同じように行動すると予想できるからです。ですから，もしある介入を片方のグループだけに導入した場合，そのグループの行動に見られた変化は，何かほかの要因というよりも導入された介入のためであるといえます。RCTは一般的に，薬の効果を調べる際に用いられる手法です。片方のグループには試験薬が投与され，もう片方には糖剤（プラセボ*3）が投与されるというやり方です。

　また，なぜ設定を実社会に置くことが重要であるかも説明すべき点です。多くのRCTは，実験室で行動を査定します。実

---

*3　プラセボ：偽薬のこと。本物の薬のように見えるが，薬としての有効成分を含まない（治療効果のない），薬のようにみせたもの。

験室は介入を簡潔に行えるので，結果を正確に査定できます。しかし，実験室という状況下では，人は実生活での振る舞いとは異なる行動をする可能性があります。たとえば，納税順守の意識を調べる実験では，よく人工的なゲームのような状況下で，実際の金額よりはるかに低い設定で，税金を支払った経験のない学生に対して詳細な実験を行います。行動インサイトが取り組んでいるのは実社会の問題なので，実験室での結果は実生活においても合致するのかを知りたいという強い願望が生まれます。その結果，行動インサイトは先行研究の知見に基づいているだけではなく，実際に「何が効果があるか」という新しい知識を生み出そうとしています。

　しかし，実社会において無作為に選んだグループの行動を直接調べることは必ずしも可能ではないことに注意しなくてはなりません。もし私たちが国家レベルの組織が取り組んでいる政策（例：イギリスの砂糖入り飲料税）を導入するとすれば，無作為化することはできません。もし観察するのが非常に難しい行動（例：近親者間暴力）を扱うとすれば，行動の直接的な指標を得るのは難しいでしょう。実験の場を実社会に設定すると，時に倫理的な壁が立ちはだかることもあります。その場合には，シミュレーションを行うことが最善と判断できます。言い換えれば，行動インサイトの研究すべてがRCTを用いて行われているわけではなく，またRCTを用いて行われたすべてが行動インサイトの範疇に入るわけでもありません。ですが，いつも

次のような疑問が生まれます。「この方法はどれくらい信憑性があるのだろうか。どんなインパクトが得られるかをどうやって調べればよいのだろうか」。

行動インサイトのインパクト

　ここまで，実際の問題を扱う際に懸念されること，問題に対して新たな可能性をもつ解決策をつくるため人間行動についてのエビデンスを利用すること，そして行動に対する解決策のインパクトを評価するために実験を行うこと，といった行動インサイトの中心となる特徴を紹介してきました。一文で表すとしたら：行動インサイトは，人間行動に対して意識下と無意識下で影響を与えるものについてのエビデンスを利用して，実際の問題に取り組む方法です。

　この方法は，魅力的かつ効果があると証明されてきました。単に「**デフォルト**」を自動加入に変更しただけでたった8年の間に，1,000万人を超える労働者がイギリスの職場年金制度で貯蓄を始め，民間の加入率は42％から85％に上がりました。また各国でも，保健機関が医師に「**社会規範**」に関する意見を聞かせたところ，不必要な抗生剤処方が減り，次世代のためにこの不可欠な資源を守ることにつながりました。また，シンプルで費用のかからない文字のメッセージを生徒および保護者に送るだけで，生徒の出席率や成績が上がるという結果が一連の研究で示されています。

行動インサイトは，
人間行動に対して
意識下と無意識下で
影響を与えるものについての
エビデンスを利用して，
実際の問題に取り組む方法です。

　もちろんほかにも多くの結果を出しています。それはのちほど説明するとして，いかに行動インサイトのインパクトが注目を集めているかおわかりいただけたかと思います。「行動インサイト」という言葉は，2010年にイギリス政府の「**行動インサイトチーム**」によってつくられました。この方法はOECD（経済協力開発機構）によると「世界中の国々のそれぞれの慣習に根づき，広い分野と対策の領域で利用されています」。アメリカ，インド，フランス，日本，カタール，チリ，カナダ，オランダ，シンガポール，オーストラリア，ドイツと，ほかにも多くの国々の政府が，行動インサイトに特化したチームをつくりました。世界銀行，欧州委員会，国際連合，そしてOECDがこれに参加しています。また，グーグル社，ウォルマート社，スイス再保険会社など，世界規模の大企業が行動インサイトを提供する社内ユニットを独自で設けています。ほかにもさまざまな組織，ネットワーク，施設，イベント，書籍，学術誌がこの方法を用い，展開し，論じています。行動インサイトから生まれた発想のいくつかは個人が自分の目標を達成するためにも使うことができます。次の第2章では，個人がどのように行動インサイトを使うことができるかを見てみましょう。

第2章

行動インサイトの歴史と考え

　行動インサイトは，一見新しい概念のようでも，実はその多くが長い間考察されてきました。たとえば，現在では，言語の「**フレーミング**」と呼ばれていますが，私たちの受けとり方は話の前後関係によって異なるというこの概念を，すでにプラトンは2,400年前にいくつか例示しています。1620年にフランシスコ・ベーコンが発表した『ノヴム・オルガヌム』（邦訳：1978年，岩波書店）には，「**確証バイアス**」についての優れた記述があり，「人は一度その思考に意見をもつと……それを裏づけたり支持したりするものだけを集めようとする」という一節が書かれています。ジェイン・オースティンの小説『マンスフィールド・パーク』（1814年，邦訳：2010年，筑摩書房）では，初めは「地味」に見えたヘンリー・クロフォードが家にやって来るたびに，バートラム家の娘たちには彼がどんどん魅力的に見えるようになったことで「**単純接触効果**」が実証され

ています。

　ほんの一部しか紹介することはできませんが，このような歴史があることを踏まえて，行動インサイトを理解するうえで不可欠な三つの西洋的観点をひもといてみましょう。初めに，「**行動経済学**」の進化をたどります。次に，心理学の寄与について大まかに述べます。最後に，行動を規制する際，政府の考え方がどう変化していったのか，その流れを考察します。これらの流れを一つにまとめることで，この15年間で行動インサイトという分野が独自に発展し，どう広まっていったのかがわかります。それぞれのアイデアは古くからありますが，それらの組み合わせや応用の仕方が，行動インサイトが新しいとされる理由なのです。

行動経済学の進化

　啓蒙思想が広まった18世紀，人が知識を得て進歩を遂げる原動力となるのは理性であると考えられていました。個々がどのように理性の力を使って目標を達成できるかを研究し始めた思想家もいました。そのなかでもジェレミ・ベンサムは，利益，幸福や快楽を「**効用**」と捉え，それを最大化することを中心に思考をめぐらせた哲学者でした。1836年にはジョン・スチュアート・ミルが「人間を無作為に定義するなら，必ず最小限の労働と肉体的な自制で，最大の必要性，利便性，快適性を得る存在である」と述べています。もちろん，人は目標を達成しよ

うとして他者や社会全体とぶつかることがあります。ミルの定義を批判する同輩たちは，このような人物のことを「**ホモ・エコノミクス**」あるいは「経済人」と呼びました。

　そして，19世紀後半〜20世紀前半に発展した経済学において，ホモ・エコノミクスという考えは，なぜそのような行動をするのかという筋の通った理論で具体化されました。この「合理的選択理論」は，私たちには一貫して安定した好みがあり，決断するための情報をすべて考慮し，望みを最善の形で実現できる選択を行うためにその情報を使うことを前提としています。しかし，経済学者ももちろんこの理論が人間の行動におけるすべてを捉えられておらず，むしろ自分にとって都合のいい予想と分析をするために単純化された理論にすぎないと感じてはいました。しかし，この理論の根幹に基づき洗練された数学的モデルを構築することに集中しているうちに，人の行動を左右するさまざまな要因（アダム・スミスをはじめとする経済学の先人たちが強調する，共感という人間の道徳感情など）への注目がおろそかになっていきました。

　一方，ハーバート・サイモンは違いました。サイモンといえば，組織的行動，コンピュータサイエンス，心理学，経済学の分野に画期的な貢献をした博学者ですが，その研究内容に共通しているのは，人が決断をする方法について書かれていることです。サイモンは，合理的選択理論に対し，「**限定合理性**」を提案しています。限定合理性とは，人は利益を最大限に得られ

る選択肢を包括的に探す代わりに「満足な選択をする」という
ことです。つまり，人は判断のショートカットや経験則，ある
いは「**ヒューリスティック**」を使って，最も有利なものという
よりも，満足できる選択肢を見つけるのです。

　たとえば，食事をするレストランを二つのうちから一つ選ぶ
としましょう。合理的選択理論における最善策は，食事の価格，
品質，店の雰囲気，ほかにも両方のレストランについてのすべ
ての情報を集めて分析することです。対照的に，「満足な選択
をする」人は「混んでいるほうがおそらくおいしいレストラン
である」と考え，価格は妥当であるかもすばやく確認するとい
うヒューリスティックがよい決定をもたらすと考えてこれを使
います。人は限られた認知資源を使って，複雑な環境下ですば
やく決断を下さなくてはいけないため，満足な選択を自然とし
ているのです。

　レストランの選択という例に関しては，概して満足な選択を
することが便利であり，常に最善を選ぶことよりも使いやすい
というサイモンの視点をわかりやすく説明しています。この視
点が合理的選択理論の原理に異論を唱えているのは明らかで
す。しかし，サイモンはノーベル経済学賞を受賞したにもかか
わらず，経済学者界に大きな影響を与えるほどの人物にはなり
ませんでした。限定合理性は真実のある側面を表しており，経
済学者界にとっては不都合だったのですが，結局のところは合
理的選択理論に根本から挑戦した理論ではないとして，重要視

されなかったのです。

　ところがもう少し後になると，この合理的選択理論に真っ向から挑戦する人々が現れます。それが心理学者のダニエル・カーネマンとエイモス・トベルスキーです。この二人は，1970年代初頭に人が実際に下す決断はどれくらい合理的選択理論に合致しているのかを調べる実験を始めたのです。彼らの実験はおもしろく，印象的で，理解しやすいもの（第3章の「手順：ピーク・エンドの法則を利用して結腸内視鏡治療をもっと楽に」を参照）でした。彼らは，人にはヒューリスティックや選択を左右する「バイアス*¹」があるため，実際はホモ・エコノミクスから逸れた判断や決断を下すという研究結果を示しました。おそらく，彼らの導いた結果で最も重要なのは，このような逸脱には秩序があるため，予想することが可能で，一つのモデルとして経済学の研究に容易に組み入れられるという点です。

　本書では，あえてカーネマンとトベルスキーが行った研究の具体例やインサイトを掘り下げることはしません。というのも彼らの研究について，特にダニエル・カーネマン本人によるベストセラー『ファスト＆スロー　あなたの意思はどのように決まるか？』（2011年，邦訳：2014年，早川書房）などの良書がたくさん世に出ているからです。カーネマンとトベルスキーのシンプルな実験例に，人は情報をどう頭に届けているかを調べ

---

*¹　バイアス：偏見や先入観といった偏りのある概念。

たものがあります。まず，二人は言葉の"頭文字"としてより
も"三番目"の文字として使われるほうが多いこと[*2]がわかっ
ている五つの子音（K，L，N，R，V）を選びました。そして，
人々にこれらの子音を見せて，それぞれの文字は言葉の最初の
文字によく使われていますか，それとも三番目の文字によく使
われていますか，と質問しました。

　その結果，ほとんどの被験者がこれらの文字は三番目よりも
最初に使われているほうが多いと答えました。たいていの人が
それらの文字が三番目にある（たとえばmilk）よりも最初にあ
る（たとえばlion）ことのほうが2倍多いと考えたのです。で
も実際には三番目にあることのほうが多いのはなぜでしょう
か。その答えはシンプルです。なぜなら，その文字が三番目に
ある言葉を考えるよりも，最初にある言葉のほうが簡単に思い
つくからです。この実験結果が見せているのは，判断のショー
トカットです。つまり，考えつくのが簡単なもののほうが，よ
り一般的なものとなるのです。

　人にはほかと比べ頭に浮かびやすい，利用しやすい知識や概
念があることから，カーネマンとトベルスキーはこれを「**利用
可能性ヒューリスティック**」と呼びました。飛行機の事故はほ
かの事故に比べて起こるリスクが低いにもかかわらず，なぜ人
は飛行機に乗るのを怖がるのでしょうか。それは，利用可能性

[*2]　言葉の"頭文字"としてよりも"三番目"の文字として使われるほうが多いこと：統計的にわかっている。

ヒューリスティックによって恐ろしい墜落の場面が頭に浮かんでしまうからなのです。当然，ホモ・エコノミクスであれば，どんなに頭に浮かびやすい考えがあったとしても，関連するすべての情報から判断を下すはずですから，このような考えによって判断に影響を及ぼすことは，本来なら理論上ないはずなのです。

　ほかにもカーネマンとトベルスキーは，いかに合理的選択理論と人々が実際に下す決断とが食い違っているか，多くの例を挙げて述べています。人は物事を決定するとき，自然と「**損失回避**」をしています。予想できる利益と損失を天秤にかけて，結果的に有益となるか（これは「期待効用理論」として知られている）を考えてリスクを評価しているのです。実際，このような決断において利益が出る可能性よりも損失が出る可能性のほうを重要視するので，カーネマンとトベルスキーは，負ける可能性より勝つ可能性が約2倍高くなければ賭け事に応じる見込みは低いと述べています。

　ある条件下では，選択肢がその利益を強調しているか，あるいは損失を強調しているかの示し方の違いによっても私たちの決断は左右されます。たとえば，トベルスキーが共同執筆した研究論文では，「手術後1カ月の生存率は90%です」と示された医師の84%が放射線治療ではなく手術を選択したのに対して，「手術後1カ月の死亡率は10%です」と示された医師の50%しか治療法として手術を選ばなかったという結果が出ま

した。この二つの情報は同じ内容を意味しますが，一つは利益について述べ，もう一つは損失について述べています。

　この研究は，ハーバート・サイモンが行った研究（例：判断のショートカットがもつ重要性）と類似していますが，発表の仕方はだいぶ違いました。カーネマンとトベルスキーは，ホモ・エコノミクスの誤り，あるいは逸脱という観点で研究結果を述べており，その結果を経済学の学術誌で発表しています。そして，自分たちの研究結果が及ぼす影響を予想して数字で示しました。その研究結果を経済学の分野で支持してくれる人がいなければ，彼ら二人が経済学界にどれだけ影響を及ぼしたのかは見えてきません。しかし，幸運なことに彼らには支持者がいたのです。

　1976年，リチャード・セイラーは二人の研究結果を知り，すぐに合理的選択理論から逸れた自らの研究結果と関連していると気づきます。セイラーは，この二人の心理学者とともに研究を開始すると同時に，自分自身の考えを発展させて経済行動について新たな説明を始めました。セイラーの「アノマリーズ*3」という人気コラムシリーズは少しずつ研究者の賛同を集め，影響力のある機関に支持されるようになり，新世代の研究者たちを生みました。そして彼らは「行動経済学」と呼ばれるさらに洗練された分野へと発展させていきました。

　この名称は，合理的選択理論に従ってどう行動するべきかよ

---

*3　アノマリーズ：アノマリー（anomaly）とは異常や例外を表す英単語で，行動経済学でのアノマリーは伝統的な経済学理論から予測される行動から逸脱する行動のことをいう。

りも，実際に人々はどのように行動するかという実証に着目しているという理由でつけられました。この分野の本質を捉えたもう一つの例を，最後に簡単に紹介しましょう。セイラーは，人が頭のなかで金銭の使い道を分類し，把握する「**メンタル・アカウンティング（心的会計）**」という概念を示しました。ホモ・エコノミクスが金銭を商品や業務のために「代替可能」なものとしてしか考えないのは彼らの基本的性質の一つであり，手持ちの資金に特定の使い道はありません。つまり，お金はお金にすぎないのです。しかし実際には，人々はまとまったお金の使い道（たとえば「家賃」）を決めてあり，ほかの使い道のあるお金と混同するのを嫌います。

　アメリカでの車の燃料購入に関するわかりやすい例があります。アメリカでは，価格と質の異なる3種類のガソリンが売られています。2008年にガソリンの価格が50%近く下がりました。そのため，もっと自由に使えるお金が手元に残るのですから，合理的選択理論に従えば，人々はそのお金を —— チョコレート，タバコ，ペットフードなど何でも —— 好きなように使えるのです。しかし，経済学者が実際の商取引データを調べると，人々はそのお金でいつも買うガソリンよりも高い種類のガソリンを購入していたことがわかりました。頭のなかでガソリン代として使う予算を50ドルと決めていたので，その予算に余裕がある場合には，いつもより質の高いガソリンで車のタンクを満タンにしたのです。重要なのは，同じ店で牛乳やオレ

行動経済学は，
合理的選択理論に従って
どう行動するべきかよりも，
実際に人々はどのように行動するか
という実証に着目しています。

ンジジュースなどほかの商品を買ったとしても，ガソリンを購入するときと同様の現象は見られなかったことです。つまり，人々は余った分のお金で，より高いブランドの商品を購入することはありませんでした。ガソリンだけに見られた心理的変化だったのです。もちろん，余ったお金で本当に欲しかったのがプレミアムガソリンだったという可能性もあります。しかし一般的に，収入が増えたとしても，選ぶガソリンの種類をプレミアムにするということはあまり見られません。

　メンタル・アカウンティングを愚かだとか，意味がないとかいうつもりはありません —— しかし，愚かで役に立たない場合もありますし，逆もまた然りです。政府は，国民が大学に入る目標を達成するためや，万が一国が混乱状態になったときのためのセーフティネットとして，メンタル・アカウンティングを国民に推奨したいと思っています。しかし，その前にメンタル・アカウンティングの重要性を人々が認識することが肝心です。もし政策や計画が無意味なものとして無視されたり退けられたりすれば，成功する見込みはないでしょう。

　行動経済学は，特にこういった個々が行う決定に関心を向けてきましたが，これらがすべてではありません。たとえば，ジョン・メイナード・ケインズが1936年に出版した著作のなかで用いた用語である「アニマル・スピリット*4」が，なぜそし

---

*4　アニマル・スピリット：主観的で非合理な動機や行動。

てどのようにして市場にバブル，恐慌，暴落のような予期せぬ不安定な変動をきたすのかについて新しい知見も示してきました。また，この分野はほかの方向へも発展していきました。その一つの傾向として，実社会で実験が多く行われるようになったということです。これは，もし人々が「実際にコストやリスクを負って賭ける」と，バイアスはなくなるかを調べるためでもありましたが，結果は「ノー」，バイアスはなくなりませんでした。また別の傾向として，行動経済学から生まれたアイデアが，臓器提供率の伸び悩みや，老後のための貯蓄対策など，政策に関連した問題に利用されるようになりました。ここまで行動経済学の動向を見てきましたが，一度立ち止まって，同じような観点を与える別の歴史を見てみましょう。

二重過程理論への道

ここまで，啓蒙思想がいかに意識した理性の力に着目したかを見てきましたが，意識されない人間行動に興味をもつ思想家もいました。1890年，心理学の「創始者」の一人であるウィリアム・ジェームズは，いかに習慣的で自動的な行為が強く人の行動を牛耳っているかを力説し，考えずに複雑なことができる能力が根本的に役立っていると断定しました。

日常生活における細かい作業を考えずに自動的に手が動かせるようになれば，私たちの能力は高まり，もっとそれぞ

れの作業を正確にこなせるようになる。何も習慣化されていないで決断ができず，タバコに火をつける，お茶を飲む，朝起きて夜寝るなど細かい作業を開始するのにいちいち意志をもって熟考しなくてはならない人ほど惨めな人はいない。そういう人のほとんどが，いつも実際には意識下ではなく，自分のなかに根づいている事がらについて決断したり後悔したりしている。

　同じころ，ヴィルヘルム・ヴント[*5]は，自発的な行為を「スロー[*6]で，努めて意識的に」行うのに対して，無意識の行為は「努めず，意識の管理を超えて」行うと違いを述べています。ジェームズとヴントの見解は，第1章で触れた行動インサイトの原理と非常に似ているとお気づきになったのではないでしょうか。しかし，人が行動する際に働く自動的で反射的な能力の役割と影響について，心理学の分野で認められるようになるまで100年という歳月がかかりました。さまざまな出来事（20世紀半ばに盛衰した「行動主義」を含む）のあった100年を飛び越えて降り立ったのは，カーネマンとトベルスキーが実験を始めた1970年代でした。

[*5]　ヴィルヘルム・ヴント：ドイツの生理学者，哲学者，心理学者で，「実験心理学の父」と称される。1879年に世界初の心理学研究室を設立した人物。
[*6]　スロー：人間の脳は，直感ですばやく判断する自動システム（ファスト）と，論理的に時間をかけて判断を下す熟慮システム（スロー），この二つで情報を処理しているといわれている。このような人の脳内における意思決定プロセスの考え方を「二重過程理論」と呼ぶ。

　この時点では，行動に関する理論の多くは，人々の態度，意欲，意図が強く行動に関係しているという原理に基づいていました。このことは当時，最も支持されていた理論の一つに「合理的行動理論」と呼ばれるものがあったことからもわかるでしょう。しかしこのあたりを境に，人が無意識に行動できる重要性を実証した数多くのエビデンスを，心理学者や神経科学者が提示し始めました。判断のショートカットについて調べたカーネマンとトベルスキーの実験もこのうちの一つですが，すべてを網羅しているわけではありません。社会心理学者のロバート・チャルディーニの研究もまた，人々の注目を集めました。人気の著作『影響力の武器』(邦訳：2014年，誠信書房)でチャルディーニは，人々がある種の状況や要求に対して考えずに反応してしまうことを，たとえば販売員や企業などが日々行う説得を実例として交えて説明しています。このようにエビデンスがたくさん集められると，二重過程理論を用いて行動を説明する心理学者も増えていきました。

　二重過程理論とは，人は行動を左右する二つの思考をもっているという考え方です。一つはコントロールされて，スローで，審議されて，熟考されて，自覚のある思考です。私たちは集中して考えることが必要であるため，このやり方で物事を決定するには知的能力や意思に限界があるとされています。見知らぬ場所へ行ったり，外国語を学んだりする際にはこの手順が頭のなかで使われています。前述の引用文でウィリアム・ジェーム

人は行動を左右する
二つの思考をもっています。
一つはコントロールされて，
スローで，審議されて，
熟考されて，自覚のある思考です。
もう一つはコントロールされず，
ファストで，直感的な
無意識の思考です。

ズが「意志をもって熟考」すると述べているのがこれに当たり、現在では熟慮システムと呼ばれています。

　もう一つはコントロールされず、ファスト*7で、直感的な無意識の思考です。自覚なしに働く思考のため、私たちが集中して考える必要はありません。ですから、このやり方で物事を決定しても疲れることはありません。日々通い慣れている場所へ行ったり、母国語を話したり、習慣となっていることをしたりする際にはこの手順が使われます。実際のところ、「思考」とは少し異なる本能的な反応も含まれます。本能的な反応とは、たとえば対向車のスピードを判断したり、乗っている飛行機が乱気流に入ったときに体がきゅっと縮んだりすることです。ウィリアム・ヴントはこれを「無意識の行為」と呼びましたが、現在では自動システムと呼ばれています。

　どちらのシステムも私たちが行動する際に作用しますが、自動システムのもつ力に着目する傾向が広く見られるようになっています。とはいえ、経済学と心理学では着目の仕方がかなり異なります。経済学者が自動システムを「合理的」な決断からの逸脱と見ているのに対して、逸脱する標準モデルがあるわけではないので「バイアス」という言葉を使うのは誤りであると心理学者は考えます。そして心理学者の多くは、自動システム

---

*7　ファスト：人間の脳は、直感ですばやく判断する自動システム（ファスト）と、論理的に時間をかけて判断を下す熟慮システム（スロー）、この二つで情報を処理しているといわれている。このような人の脳内における意思決定プロセスの考え方を「二重過程理論」と呼ぶ。

はたいていよい結果を生むように機能していると主張しています。実際，この考え方の違いは大きな議論となっています。

　心理学者のゲルト・ギーゲレンツァーをはじめとする研究者たちは，バイアスを特定して修正しようとする行動経済学的な見方は誤っていると主張します。よい決定をする人々の能力を過小評価しているというのです。むしろ，心理学者はヒューリスティックのもつ力を重視しています。そして，重要なのはヒューリスティックが決定を下す環境と合っているか否かであると述べています。言い換えれば，そこに「**生態学的合理性**」があるか，ということです。そして，よい決定がしたいのであれば，ヒューリスティックをいかに効果的に使うかを人々に教えることが最善策であるといいます。そうすれば自動システムに関係する要因に働きかけるだけではなく，人々が自動システムを使う能力を政府が「強化する」ことができるというアイデアです。一方で，厳密にいえば人に自動システムが機能している自覚がないことを理由に，ダニエル・カーネマンはこのようなやり方を悲観的に見ています。

　行動インサイトの長所は，どちらの考え方も統合できる点です。人々がある選択肢を選ぶように自動システムに働きかける方策を設計するのが最善策である場合もありますし，第1章で紹介した食育の実例のように，効果的な経験則を使えるよう人々を手助けするのがよい場合もあります。行動インサイトの観点からいえば，エビデンスの強度によってどちらのアプロー

チを採用するかを判断します。また，どちらかに決めずに，選択肢を組み合わせることもできます。このように行動インサイトというアプローチは，実用的でエビデンスに基づいている性質が政府に魅力的であると認められ，ここまで広まった理由の一つとなりました。

行動について政府の考え方はどう変わったか

　国が人々の行動を変えようとすることは時に激しい議論を呼びます。しかし，政府は常に規制すべき行動を理解し，変えようと試みてきました。たとえば，17世紀にトマス・ホッブズは代表作『リヴァイアサン』(1651年，邦訳：2014年，光文社)で，人がどう社会と相互に作用しているかを分析しています。そして，その結論に基づいた効力のある政府をつくるために，科学的原理を利用しようと試みました。時が経つにつれ，政府は社会的問題を理解して取り組むために，より洗練された方法を求めるようになりました。それに応じて，20世紀には「決定を下すために不可欠な助言をする技術エキスパート」としての経済学者が現れ，経済学は政策分析において有力な分野となりました。

　この変化をもたらした理由の一つは，合理的選択理論によって人の行動を理解するわかりやすい手順が示されたことです。これにより，政府の措置に対して人々がどう行動するかを予測できるようになりました。言い換えれば，政府が問題の手綱を

握る手助けをしたということです。犯罪を例に挙げ，もし政府の資力が限られているとしたら，有権者が容認できる犯罪レベルを保つ最善策を，どのように決めればよいのでしょうか。この問いに対して，経済学者のゲーリー・ベッカーは1968年に「（犯罪者の）心理的問題に関する個別理論はなしで済ませて」「経済学者が通常行っている選択分析をただ応用すればよい」と述べています。すなわち，合理的選択理論の原理を応用すればよい，ということです。これは，人は見たところ，コストよりも利益が上回ると見積もったときに罪を犯すという理論です。ここでいうコストは，捕まる可能性に犯罪者に与えられる懲罰を掛けると計算できます。

　ですから，罪を犯す可能性のある人が考えるコストを上げる最も安上がりな政策を見つけるのが，政府にとって最善の方法です。この基本的なインサイトは，政府に政策をつくるたたき台を与えることができます。たとえば，捕まる可能性が高くなるわかりやすい策として，街灯で街を明るくするという手段があります。そうすれば，犯罪も人の目につきやすくなるからです。最近になって，このアプローチを街灯の有無で試した実験が，実際にニューヨーク市の公共住宅団地で無作為に行われました。その結果，街灯をつけることで，殺人，強盗，暴行などを含む夜間の戸外での「重大犯罪」が少なくとも36％減ったという結果が出ました。可視性を高めたことが，行動に影響を与えたようです。政府は，このような結果をもとに，街灯をつける

コストが正当であるかを「費用便益分析」することができます。

　最終的には，そもそも政府が介入すべきであるか，いつすべきであるかを決める全般的な枠組みを，さらに高いレベルの経済学的観点から助言することができます。独占（一つの市場参加者に力が集中しすぎてしまっている状態），情報の非対称性（取引参加者の一人がほかよりも多くの情報をもっている状態），外部不経済（ある活動が，取引に関与していない人，あるいは全体としての社会 ── 最もわかりやすい例としては環境汚染 ── にコストを強いている状態）などを含む「市場の失敗」があった際に，経済学のモデルは，政府の介入が必要であるかを提案することができます。市場の失敗が認められた場合，経済モデルは非対称性を軽減したり，富を再分配するために課税をしたり，外部不経済を生む行動を慎むよう呼びかけたりできるでしょう。もしも社会的負担が大きすぎるとしたら，行動規制のための情報提供をするなど，政府がどのように対応すべきかを提示することができます。

　心理学ではこれらの提案と競り合うのは難しいと思われていました。なぜなら，同じように一般的に受け入れられ，政府にとってわかりやすい結果を生む広い範囲の枠組みを提供することはできないからです。アメリカでは1946年に大統領経済諮問委員会が創設されましたが，心理諮問委員会は創設されませんでした。そしてほとんどいつも，ベッカーの助言通りに，心理学の理論は「なしで済ませた」政策がつくられてきました。

　ただし当然ながら，交通，健康，環境面などの政策をつくるには，心理学的視点が役立ちます。たとえば，1960年代以降，従来の合理的選択モデルはシートベルト着用率を上げるためにあまり役立っていないと多くの国で問題視されてきました。そこで着用率を上げるために，運転手の「**自信過剰**」やデフォルト設定の重要性など，行動科学から得た概念を取り入れるようになりました。「ソーシャル・マーケティング[*8]」の実行により，経済モデルではうまく把握できていなかった行動の原動力を特定するために，社会科学を使って社会的な結果を改善しようと試みました。1980年代以降，ソーシャル・マーケティングは支持され始めたものの，常に経済学者の見解を参考にしてつくられた政策をマーケティングする，二番目の方法として位置づけられていました。

　しかし，この状況はここ15年ほどの間に変わってきました。政府や政策の立案者が，心理学や行動科学に以前よりもかなり関心を寄せ始めたのです。この変化には主に二つの理由があります。一つ目は心理学や行動科学の知見の需要が高まったこと，二つ目はその供給する知見の質が改善したことです。

　需要に関していえば，合理的選択理論を用いたやり方には欠点があるのではという声が高まっていました。政府が，経済モデルの予想通りには人々が行動していないと気づくことも多々

---

*8　ソーシャル・マーケティング：社会全体とのかかわりを重視して行うマーケティング。

ありました。たとえば納税の順守です。納税の順守を理解する
主な経済モデルとして，前述したゲーリー・ベッカーによる犯
罪の分析に基づいたモデルがそのまま使われていました。この
モデルでは，納税するという行動を左右する要因は，監査の可
能性，罰金の額あるいは懲罰の厳しさ，税率，そして収入だけ
でした。問題は経済モデルの予想と，政府が得たデータが合致
していない —— 納税の順守に影響を及ぼしている要因がほか
にもある —— ことでした。2007年には，ある評論家が「合理
的モデルは新古典派の経済学者の思惑通りには機能していない
ことが実証的研究で一貫して証明されている」と述べるほど，
食い違いは顕著になっていました。そのため，税務当局は明確
な情報，敬意，そして行き届いた対応を必要とする納税者を顧
客のように扱うことを重点的に取り組み始めたのです。

　21世紀に入り，エビデンスをもとにした政策をつくること
に再び新たな関心が向けられるようになり，政府は特にこのよ
うに明らかになってきたデータに注目したのかもしれません。
新しいアプローチに求められているのはこれまでのようにイ
デオロギー，理論，あるいは学術的規律にこだわらず「What
works（何が効果があるか）*9」を見つけることです。それゆ
え，経済モデルが，何が功を奏するかという信頼できる予想を

---

*9　What works：「何が効果があるか」を示すだけでなく，エビデンスに基づく政策決定のためのエビデ
　　ンスのリストを示す言葉である。たとえばアメリカでは，教育政策のエビデンスを集めるセンターとし
　　てアメリカWWC 情報センター（What Works Clearinghouse）というセンターがアメリカ教育省下の
　　Institute of Education Sciencesの元に設立されている。

示せなくなったとしても，すでに政府はもっとよい方法を探し
始めていたのかもしれません。2008年に起きた金融恐慌によ
り，この動きはさらに加速しました。これにより，現存の規制
への経済的アプローチは明らかに破綻しており，組織は行動経
済学者が発展させた最新型の「アニマル・スピリット」に近い
やり方で動いていたことがわかりました。また，これに伴って
多くの国の財政状況に重圧がかかり，政府は早急に新しいアプ
ローチ —— できれば費用のかからないやり方 —— を探し始め
ました。

　ほかの選択肢に目を向けると，行動経済学が好ましい可能性
を秘めているようでした。すでに述べたように，行動経済学は
これまで採用されてきた合理的選択理論の枠組みを保ちなが
ら，その枠組みから逸脱する部分に加えて，新しい心理学的な
研究結果をも統合しました。政府は，これこそが直面している
問題に対して信頼できる答えを提供し，また未来をさらに正確
に予想するための新しいツールであると感じたのです。この時
点では，行動経済学は既存の経済学を覆すような革命的なもの
ではないただの技術的な改善として考えられていたのかもしれ
ません。それに加えて，この分野にはアプローチの新しさ，楽
しさ，そして興味深さについて胸を張って論じる有能な支持者
が多数いました。

　そして2000年代半ば頃には，歴史の三つの流れが一つに
なりました。その三つとはつまり，行動経済学の始まり，心理

学における二重過程理論の収束，人間の行動についての新しい
報告に対する政府の関心の高まりです。これらの条件が揃い，
行動インサイトは誕生したのです。

ナッジ

　新しい分野の誕生に期待が高まるなか，リチャード・セイラ
ーは著名な法学者であるキャス・サンスティーンと組み，前述
したエビデンスをどう政府が利用できるか実践的な提案をまと
めました。その書籍が，2008年に出版された『**実践行動経済学**』
（邦訳：2009年，日経BP社）です。ここでセイラーとサンス
ティーンが述べている内容は，基本的に明解で独創的です。人
が自動システムを使っているときには，合理的選択理論から逸
脱した行動をとるというものです。このことについて著者は，
私たちは「人間であり，経済学者ではない」としています。し
かし，このような逸脱は予想することができるため，政府はそ
れを見越して計画できる ── するべきである ── と述べてい
ます。

　まず，あまり重要ではなさそうに見える選択肢の提示方法，
つまり「選択アーキテクチャ」という方法が，実は人々の選択
に大きく影響し得ることを理解しましょう。なぜなら，示され
方に応じて判断のショートカットが働くことがあるからです。
政府は「選択アーキテクチャ」を設計することで，受け手の自
動システムが好ましい選択をする可能性が見込めます。この選

択は受け手自身がしており，受け手にとってもよりよい選択で
なければなりません。そして重要なのは，受け手が特定の選択
肢の選択を強いられてはいない点です。もし受け手が望むなら
ば，ほかの選択肢を選ぶこともできます。つまり，受け手は選
択を強制されたのではなく，ある選択肢（あるいは選択肢群）
のほうへと穏やかに「突かれた（導かれた）」のです。セイラー
とサンスティーンは，以下のように明言しています。ナッジは
（a）何も禁止しない（b）（たとえば実質的な税金や罰金を導入
するなどによって）人の経済的インセンティブを大きく変えな
い（c）簡単に介入を避けられる（すなわち受け手にそのほかの
コストを強いない）。また，「目の高さにフルーツを置くこと
はナッジと考えられるが，ジャンクフードを禁止することはナッ
ジではない」と述べています。

　この食べ物の選択についての引用文は，本全体の特色——
ひねりがあり，パンチが効いていて，こなれていて，たまに不
遜——をよく表しています。彼らの本はまず，興味をかきた
てる錯覚と認識できる弱点について触れ，なぜそれらが起こる
のかを説明しています。それから「健康，富，幸福」などさま
ざまな問題についての考え方を，この知識によって私たちがど
う変えられるか，実例を挙げて説明しています。もし人々が老
後のために十分な蓄えをしていないとしたらどうすればよいで
しょうか。その答えとして，申し込んで加入するのではなく，
自動的に職場の年金プランに加入するようにデフォルト設定を

変える，そして将来，昇給があった際には寄与率を上げること
を約束させると，『実践行動経済学』には記されています。さて，
国内の電力使用量の増加を抑えるにはどうしたらよいでしょう
か。それには，どれだけの電気を使用しているかを消費者に早
急に伝え，ほかの人の使用量と比較させることがよいと書かれ
ています。

　セイラーとサンスティーンは，本の見せ方が巧みなだけでは
なく，ナッジというコンセプト自体を展開するうえで賢明な選
択をしています。おそらく最もわかりやすい具体例としては，
左翼と右翼どちらの政治的志向をもつ人にも受け入れられるよ
う慎重にナッジを構築していることです。実際，セイラーとサ
ンスティーンはこの中立的立場を反映して新しく「リバタリア
ン・パターナリズム*10」という言葉をつくりました。ナッジ
は，「最善」の選択を特定するため（個人が設定した目標を達
成するためではありますが）温情主義的であり，その選択肢へ
と人々を導こうと試みます。しかし，ナッジは選択肢を取り上
げたりせず，そっと導くため，自由主義的でもあります。つま
り，別の選択肢を強く希望すれば，それを選ぶことも可能です。
著者の視点から見たナッジは，左翼と右翼の間の「本物の第三
の道」を表しています。

　ほかにも，ナッジには説得力があるという特徴があります。

---

*10　リバタリアン・パターナリズム：権力で個人の自由をコントロールせず，よい結果に導く思想。

セイラーとサンスティーンは，ナッジの設計はすべてはっきりとしていることを強調しています。政府は，常にどちらの選択肢を最初に示すかを決定し，どれも選ばない人がいたらどう対処するかを考えておかなければいけません。つまり，彼ら自身が「選択アーキテクチャをつくる人」なのです。たとえばカフェテリアでは，いつもほかの商品よりも目立つ商品というものが存在し，そのためその商品が選ばれやすいのです。では，なぜ単に機会や慣習によってこのような位置づけがされるのでしょうか。論理的な答えは，望んでも望まなくてもだれもがナッジのする仕事に触れているからです。そのため，自分が何をしているかを認識する必要があります。

　また，ナッジには一見安上がりであるという利点もあります。というのも，ナッジはしばしば既存の選択肢の調整に取り組むこともあり，大々的な計画をしなくても有意義な変化をもたらす可能性をもっているからです。やるべきことは，ただ既存の形を再設計したり，インセンティブのタイミングを変えたりするだけです（とはいえ，実際はこれらの変更だけでもいくらかの費用はかかります）。すでに述べたように，2008年以降，ナッジは資金不足の政府にとってうれしい対策でした。

　しかし，ナッジの導入は安上がりであることを強調しすぎると，大きな問題の表層を見ているだけにすぎないのではないかという批判を呼びかねません。経済的インセンティブや立法の変更をせずに，ナッジは根深い社会問題にどう取り組むことが

できるのでしょうか。セイラーとサンスティーンは，自分たち
の主張を和らげることでこれらの批判を未然に防いでいます。
彼らの著書には，ナッジが例示された問題すべてを完全に解決
できるとは書かれていません。代わりに，低予算で実際に改善
が見込まれるが未調査の手段がある，と記しています。そして
セイラーとサンスティーンは，正直にナッジでは十分に解決で
きないこともあると認めています。

　自分たちの考えをわかりやすく，身近で，受け入れやすい一
冊にまとめた著者たちの努力はこれで報われました。わかりや
すい心理学インサイトと噛み砕いた政策アイデアは，標準的な
経済モデルに替わるものを求める要望と結びつき，その結果，
『実践行動経済学』は75万部以上を売り上げています。そして，
この本は政策決定の現場で議論に上り，セイラーとサンスティ
ーン自身が説得力のある提唱者として認められるようになりま
した。実際に，2009年にはサンスティーン自身が，規制に取
り組んでいるアメリカ政府の情報規制問題局（OIRA）の局長
となりました。サンスティーンに与えられた任務は，行動経済
学を利用して規制の効果を上げ，また規制の負の影響を減らす
ことでした。

　『実践行動経済学』がヒットして注目されるようになると，
批判も出てくるようになりました。主な批判は，ナッジは人々
を操ろうとしている，子ども扱いをしている，限界がある，個
人を対象にしすぎている，そして不十分なエビデンスに基づい

ているというような内容です。これらの批判についてはのちほど考察していきます。また，ほかの付随した結果としては，ナッジだけが政策に利用できる行動科学のやり方であると人々に認識され，ほかのアプローチを牽引^{けんいん}しにくくなったことです。そして圧倒的な成功にもかかわらず，政策を立案する多くの人が正確にこのアイデアをどのように実用化するべきなのかわからずにいました。そのため，既存の政策に取り込める具体的なアイデアの応用の仕方が求められました。次の項では，イギリスでそういった要求に応えるために発展し，行動科学を用いた新しいアプローチ，つまり行動インサイトが生まれた経緯を見ていきます。

マインドスペース

　遅くとも1990年代半ば頃には，イギリスの政府機関は行動科学に関心を示し，徐々に強めていきました。たとえば，2004年には首相の戦略ユニットが『*Personal Responsibility and Changing Behaviour*（個人的責任と行動の変化）』という報告書を発表しました。個人の述べている考えの多くが，政策の問題と関連しているという内容です。しかし，この報告書に書かれていた食べ物の価格に関する項目が憶測を呼び，「首相の戦略ユニットが肥満税の導入を検討」という新聞の一面トップニュースになるという騒動が発生したのです。当時の首相はすぐに否定して，反証を示しました。しかし，それから何年も，

行動科学を政策に応用するのは危険であるというイメージがつきまとう結果となりました。

『実践行動経済学』の出版後，公務員長のガス・オドネルがこれを支持し，2009年までにこのテーマが再び関心を呼ぶようになります。その年，イギリス労働党はインスティテュート・フォー・ガバメントという頭脳集団に，行動科学は実用可能であるかを調べて公的報告書を作成するよう委託します。この任務のために集められたのは，デビッド・ハルパーン（2004年の報告書の筆頭著者），ポール・ドーラン（経済学者），イヴォ・ウェルチ（認知心理学者），ドミニク・キング（行動経済学を研究している外科医）と，本書の著者の一人マイケル・ホールスワース（当時，インスティテュートの上位研究者）といった顔ぶれでした。

求められたのは，読む時間がないほど忙しい人でも読みたくなるような書き方で，行動科学を応用するのに有利な条件を伝え，行動科学からヒントを得た信頼できる政策の実例を含めた報告書をつくることでした。読んだ人が要点を覚えていられるように，単純で短い言葉を中心に置き，それぞれの言葉の内容を課題へと発展させていきました。そして，最も信頼できる行動科学の効果を特定し，それを覚えられるほど簡潔で短くリストアップしなければなりませんでした。好都合だったのは，早い段階で「マインド」という言葉が使えると気づいたことです。微調整の結果，実際に行動に影響を与える効果からそれぞれの

分類	内容
メッセンジャー （**M**essenger）	人はだれが情報を伝えているかに大きく影響される
インセンティブ （**I**ncentive）	インセンティブ（報酬）への反応の仕方は，たとえば損失回避など，人が予測可能な判断のショートカットによって方向づけられる
社会規範 （**N**orms）	人はほかの人がしていることに影響される
デフォルト（初期設定） （**D**efaults）	人はあらかじめ設定された選択肢をそのままとりやすい
顕著性 （**S**alience）	新しいものや自分に関係のあるものに人の注意は向く
プライミング （**P**riming）	人は意識的に気づいていない手がかりに影響される
感情 （**A**ffect）	感情が人の行為を形づくる
コミットメント （**C**ommitment）	人は公言した約束に反しないよう好意に報いようとする
エゴ （**E**go）	人は自分自身の気分をよくしようとする

図4

頭文字をとってマインドスペース（MINDSPACE）としました（図4を参照）。

　注目すべきは，マインドスペースは，すべてを網羅した徹底的かつ相互作用する排外的な理論の枠組みではないということです。たとえば，マインドスペースには心理的プロセス（顕著

性，感情）もあれば，そのプロセス自体に影響を与えるもの（デフォルト，インセンティブ）もあります。私たちが主に取り組んでいるのは，実際に応用することです。これらを区別することは重要ではないので，このような妥協は問題ではありません。少なくとも，マインドスペースをこれらの大事な要因を考慮するためのチェックリストとして，多忙な政策立案者に使って欲しいというのが私たちの狙いでした。

マインドスペースは影響力があり，「イギリスやほかの国々でその後利用されるようになったアプローチの知的基盤」として，「実践的な影響」を与えたと，のちに評価されました。そして，それ自体は主な目的ではありませんでしたが，行動経済学の分野自体にも影響を与え，発表されてから 1,000 本以上の論文で引用されました。また，報告内容のわかりやすさや，斬新に簡略語を使ったこともこのようなインパクトを生んだ要因と考えられます。しかし，行動科学は政策立案においてナッジより広い役割をもつべきことが推奨されているため，マインドスペースは柔軟です。

厳密にいえば，リバタリアン・パターナリズムは，目標を達成しようとしている個人を助ける意味で使われる言葉です。しかし，もしその人の目標が他人や社会にとって害 —— わかりやすい例を出すとすれば犯罪 —— であるとしたら，どうしたらよいのでしょうか。また，ナッジでは選択肢を除外したりインセンティブを変えたりすることを避けます。それでは，何を

除外すればよいのでしょうか。マインドスペースは，全範囲の政策や政策手段を考慮してこれらの問題に対処し，「文化，規制，個人の変化に対して総合的に」取り組むことができます。行動科学は，新しい介入よりも，政策や政策手段の立案者が「行動次元」を理解するために役立つはずです。このように，報告書には行動インサイトのアプローチをより広く使うための基盤が示されており，6カ月後に行動インサイトチームが結成されたことで初めて表面化しました。

行動インサイトチーム

　行動科学の可能性に興味をもち始めたのは，イギリスの官僚や当時の与党労働党だけではありません。統合するというナッジの約束に忠実に，反対派だった保守党もこの概念に興味を示すようになり，2010年，イギリス総選挙が行われる前，リチャード・セイラーは保守党に助言を行いました。ナッジするというアイデアは特に，立法を避ける代わりに「厄介でわずらわしいやり方抜きで政策目標を達成するために，社会心理学と行動経済学から生まれたインサイト」を使いたいという中道右派の希望と合致したのです。2010年の選挙の結果，政権を勝ちとった保守党の掲げるこの目標は，新政権発足後5年の議題を設定した公的な連立の合意文書に含まれました。

　この期間中，行動インサイトの発想を着実に集中して応用できる，専門的な資力を政府の中心につくることになりました。

その結果，首相官邸および内閣府にBIT（Behavioral Insights Team：行動インサイトチーム）という小規模チームが結成されます。これまでの公務員としてのキャリアを考慮され，チーム長として選ばれたのはデビッド・ハルパーンでした。ハルパーンは，BITの詳しい成り立ちについて2015年に出版された『*Inside the Nudge Unit*』に記しています。次の項目では，ハルパーンの記述をそのまま書き写すことにならないよう工夫して，どのようにBITが結成されて発展し，行動インサイトを導入していったのかを説明します。私たちから見ると，BITはいくつかの難題に直面し，その結果として行動インサイトという分野が重要かつ永続的に形づくられたように感じます。

　特に強調したいのは，BITは非常に懐疑的な環境で結成された点です。BITは，首相およびほとんどのイギリス政府高官から強く支持されていました。しかし，多くの官僚は，新政権はしっかり実証されたアプローチを外に追いやって，単に目新しい流行のアイデアを使いたいだけだろうと疑いの目を向けていました。これまで，政府の真ん中に新しいアプローチを導入するチームが結成され，注目を浴び，結果を残さないまま立ち消えになっていく状況を多くの人が目撃してきたからです。また，BITが応用しようとしている研究結果は，研究室のなかでだけ有効で，実社会での行政の問題には機能しないのではないかという最もな懸念の声もありました。

　その一方では，広く「ナッジ・ユニット」と呼ばれるこのチ

ーム (セイラーとサンスティーンが, 寛容にもBITをサポート
し, 専門的意見を提供してくれたためでもある) を多くのメデ
ィアが疑わしく見ていました。結成当初, ナッジ・ユニットは
からくりのつくりものと軽視されていました。「ナッジ, ナッ
ジ」とあざ笑われたり, 知らない間に民衆をマインドコントロ
ールする陰謀説を疑われたりもしました。さまざまな分野の学
者や, 特定の規律や政治的視点をもった人々も懸念の声を上げ
ました。

　BITは, 何年もかけてこれらの懸念に応えていきました。あ
る学術的評者いわく, 評論家は「最終的に, 常識的なアプロー
チとこのような技法の付加価値に納得させられた」と述べてい
ます。ですが, 結成当初はこういった懐疑的な見方が, 三つの
重要な決定を下す鍵となりました。その三つとは, BITの規模,
期限, そして評価への責任です。

　一つ目に, BITは7人という小規模チームとして結成されま
した。これは, 当時の困窮した政府の予算を使ってチームを運
営する不当性への批判を抑えたかったという理由もあります。
また, BITは「スカンク・ワークス*11」を担っているため, 少
人数であったほうが官僚組織内に低予算で急進的なアイデアを
展開できるという理由もあったのです。しかし, チームはプロ
ジェクトを遂行するべくお互いに信頼して協力し合い, 説得力

---

*11　スカンク・ワークス：革新技術を秘密裏に開発する業務。

のある仕事をすることが求められました。そのかたわら，資力不足により，「問題にお金を注ぎ込む」よりも革新的なアプローチを開発する必要性が高まっていました。

　二つ目に，BITには「サンセット条項*12」が設定されていました。つまり，結成から1年の間に，三つの目標を達成しなければ解散することと決められていたのです。これは期限内に目標を達成するためでもあり，チームに緊迫感と勢いをもたせるためでもありました。三つの目標とは（1）少なくとも二つは主な政策を転換する，（2）イギリスの行政府全体に行動科学のアプローチを周知する，（3）チームの運営費の少なくとも10倍のリターンを還元することでした。どれも影響力をもった目標です。

　初めに掲げた目標は，現行の政策をただ微調整するのではなく，行動科学が「政策と戦略助言の戦場」にかかわるべきという熱意を明示しています。行動科学は，経済学がしてきたように政策決定の中核にも関与するべきです。でなければ，歴史上の些細なことと片づけられてしまいます。リチャード・セイラーが「ナッジ・フォー・グッド*13」と呼んでいる通り，社会のために利益を最大化することを目標とすべきなのです。

　二つ目に掲げた目標は，行動インサイトを興味深いアイデアというよりも，一つのアプローチとして見る重要性を強調して

---

*12　サンセット条項：解散期限を定めた条項。
*13　ナッジ・フォー・グッド：利益をよくするためのナッジ。

います。また，専門家だけが独占するのではなく，だれでも
—— 個人でも公共団体でも —— このアプローチを利用できる
ようにするべきなのです。そこで一般公開を公言し，報告書や
政策ツールは広く共有され，プロジェクトの結果は無償で利用
できるようにしました。

　三つ目に掲げたゴールは，人目を惹く派手さはなくても，チー
ムは財政的インパクトの大きいプロジェクトに焦点を合わ
せ，行政から評価されることを示しています。また，そういっ
た地味なプロジェクトはあまり議論を呼ばないという利点もあ
り，チームの潜在能力に疑念をもつ批評家からも目をつけられ
ません。また，このようなプロジェクトは大規模で信頼できる
データセットを利用できるため，結果の測定もしやすく，信憑
性もあります。これらの要因は「低いところにぶら下がってい
る果物」が「即時的な成果」を生むことを意味します。一つわ
かりやすい例としては，期限内に納税をしていない人に送るお
知らせの文言を変えるというBITの広範囲の取り組みにより，
納税の順守を改善できたことが挙げられます。システムを熟知
し，手順を修正し，既存のデータソースを利用することで，低
い費用でも何億ポンドもの税収につなげられることをBITは
証明しました。

　また，三つ目のゴールはより広範な最終的重要事項へとつ
ながりました。懐疑心を向ける人々にBITが示してきたのは，
BITが手掛ける介入が，前述および第4章で詳述するRCT

の「絶対的な基準」を使って確実に評価されていることです。RCTを利用することで，プロジェクトの効果は信憑性をもって確立できます。そして，プロジェクトにより得られた利益は，かかった費用（だいたいにおいて低い）と比較して検討することができます。それから，BITが「調べる，知る，変える」と呼ぶ手順内で，変更をもっと広い範囲に適用するか否かが決められます。政策立案者にとってこのような実験的アプローチはなじみがありませんが，試験の結果については経済学でよく用いられているため聞きなじみのある費用対効果分析の用語で知ることができます。納得がいく説明により，BITが提案した変更が功を奏していることがわかると，行動インサイトのアプローチへの信頼性が高まります。

　信頼性が高まれば，もちろん人々の関心も高くなります。すると徐々に，政策をつくる人や運営する人は改善の可能性があるプロジェクトをBITにもちかけてくるようになりました。しかし，政策の革新をしながら，これらの要求にも応える活動を政府の機関として継続するのは難しくなってきました。そこで，BITは2014年に社会的目的をもつ企業として，イギリス政府から独立しました。BITの組織は，部分的には今もイギリス政府に属しており，慈善団体のNestaと従業員が利益を二分しています。政府から外れた当時，14人だったスタッフは2020年までに世界7カ国に設けたオフィスに約200人が働くまでに増え，500例以上のRCTを行いました。

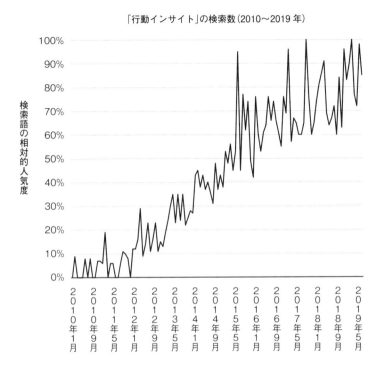

「行動インサイト」の検索数（2010〜2019 年）

検索語の相対的人気度

図5

　総じて，BITがつくり上げた実績により「行動インサイト」
という言葉が新たにつくられ，活動を重ねることで，行動イ
ンサイトという言葉に関する実務（第4章を参照）を発展させ
てきたのです。行動インサイトの発展がそこで終わっていれ
ば，関心もそれほど高くはならなかったのかもしれません。で

すが，行動インサイトという概念とアプローチは世界中の政府や組織に広まり始めました。77ページの図5は「行動インサイト」（イギリス表記の「behavioural insights」，アメリカ表記は「behavioral insights」）というワードが，Googleで検索されたトレンドを表に示したもので，いかに関心が高まったかを大まかに目視できます。2019年までには学者の間で「『行動インサイト』という新たなトレンド」として認識され，世界各国の方策に用いられるようになりました。BITは，「他国での類似チーム発足のためのたたき台」となり，「行動インサイトを公共政策へと適用する例を示す」役割を果たしました。

行動インサイトのムーブメント

　行動インサイトはムーブメントとなり，いくつかの波を生みました。BITモデルをもとにして生じた一つ目の波は，国際組織が取り入れ，進んで使用し始めたことです。二つ目は民間企業が使い始めたこと，そして三つ目は学界や個人を含め，広範囲に「エコシステム*14」が成長したことです。

　一つ目の波によって，BITをモデルとした小規模で能力の高い「行動インサイトチーム／ユニット」が公共部門内に結成され，実験を行い，方策をよりよくしようという試みが広まりました。そして，これらは政府が行動インサイトを用いる「最も

*14　エコシステム：収益構造体。事業のどの部分にいくらくらいのお金かけて，最終的に自社はどのくらい儲けるかというビジネスの基本的な枠組みのこと。

典型的な組織的規範」にもなりました。たとえば、イギリス政府のさまざまな部門（歳入，雇用と年金，健康，教育などを含む）にそれぞれ行動インサイトチームがつくられ，作業チームを通して自治体と連携し始めました。

　同時に，BITの出した結果は他国の政府からも注目され始めます。わかりやすい例としては，2013年にアメリカ政府がSBST（社会・行動科学チーム）を結成するにあたり，密かに調査を始めたことです。このチームは，ホワイトハウス（科学技術政策局）と共通役務庁（評価科学局）の両方を基盤としてつくられ，特にワクチン接種率，退職後のための貯蓄率，大学入学率を向上させるなど，測定可能な介入を低予算で行うことが求められました。そして，ミシガン州フリントでの飲料水汚染など，さらに複雑な方策の問題にも取り組んでいきました。

　SBSTの業績は，2015年に「アメリカ国民のために役立つ行動科学インサイトを使う」という大統領命令13707が出されたことにも表れているでしょう。「行動科学は，行政の政策の効果と効率を上げ，国家のさまざまな優先事項の手助けとなる」ことをもとに，この命令は各部門や機関に宛てて出され，これらのインサイトを実践で用いたり，行動科学の専門家を雇用したりすることを命じました。ホワイトハウスに属していたチームは，ドナルド・トランプの大統領就任後に解散しましたが，評価科学局のチームは存続しており，引き続きRCTを行っています。これは，政治的基盤と行政的基盤でチームを分け

ておくべきだという当初の見識が役に立った結果です。

　非常に大まかに分類するならば，初めに起きた波は2014年前後まで続き，少なくとも51カ国で行動インサイトを中心に置いたプログラムがつくられました。また，著名な国際組織がこのアプローチをさらに次の段階へと推し進めます。2015年に世界銀行，2015年と2017年にOECD，2016年に欧州委員会，2017年に国際連合が，それぞれ行動インサイトを新しく有力なアプローチであると支持する内容を報告しており，行政における「パラダイム・シフト*15」とまでいう組織もありました。そしてこれらの報告は行動を伴い，裏づけられています。これらの国際組織は，それぞれ目標に向かって前進するために行動インサイトに取り組む独自のユニットやチーム（たとえば，欧州委員会の「予測・行動インサイトユニット」）をつくりました。行動インサイトにおいて，エビデンスと評価の重要性が強調されているということは，これらの機関にとっても明らかに魅力的であり，また政府の政策効果を高めることに対する科学技術官僚の意欲も合致しました。

　これらの国際組織からも支持されていることで，行動インサイトの正当性は増していきました。そのアプローチは，政府が一度は試してみるべき有望な実務として考えられるようになったのです。そして行動インサイトを取り入れる国は増え続け，

---

*15 パラダイム・シフト：当然と考えられている認識，価値観などが劇的に変化すること。

最近では2019年9月にインドが政府の中央に「ナッジ・ユニット」をつくりました。OECDによると，2018年11月までに実務に行動インサイトを取り入れた公共団体は，世界に202カ所にものぼりました。その結果，「行動インサイトを派手なだけで長続きしない作戦だと考える公的機関はもうありません。行動インサイトは世界各国の広い範囲の部門や政策の分野にさまざまな形でしっかりと定着している」といわれるようにまでなりました。

　これらのユニットの成長を見る際に，押さえておきたい点がいくつかあります。まず，行動インサイトは先進国のみに見られる動向ではないということです。アフリカ，南アメリカ，アジアの発展途上国でも採用されています。BITをモデルとした優れた中央ユニットをつくることがおそらく最も主流ではありますが，異なった形で設立した国もあります。たとえば，オランダは中央ユニットこそつくらなかったものの，専門家を知識ネットワークや作業グループ内に派遣しました。また，行動インサイトを取り入れたのは中央政府だけではありません。たとえば，カナダのブリティッシュ・コロンビア州の行動インサイトグループのように，地方自治体レベルでチームがつくられた例もあります。

　最後に押さえておきたいのは，これらの取り組みすべてが成功したわけではないという点です。成功するには，多くの異なる要素や，多少の運も必要となります。積極的に推奨はされ

ず，単に「容認」されているだけであっても，政治的支援は極めて重要です。行政のリーダーから一任されることはもっと重要かもしれません。チームを構成するメンバーは，行動科学と評価技術両方の技術面の専門知識をもち合わせなければいけません。同時に，チームメンバーは説得力があり，実用性を重んじ，官僚組織での仕事のやり方も理解していなければなりません。知識と実務能力を兼ね備えた人材を探すのが難しいことも多々あります。

浮上した行動インサイトの「エコシステム」

　一見，民間団体は行動インサイトの利点に気づくのが遅かったように見受けられます。しかし実際には，商業組織は行動インサイトの異なる特徴を利用しており，行動インサイトの知見と結びつけることによる恩恵はまだ受けてはいませんでした。

　一つには，企業は自社製品をマーケティングするために心理学を取り入れてきたという長い歴史が背景にあります。1957年にヴァンス・パッカードは広く読まれている書籍『*Hidden Persuaders*（隠された説得者）』のなかで，ビジネスでは売上を向上させる心理学的操作（二重過程理論とは少し異なる）が広く使われている，と述べています。一方で，民間団体でもRCTはよく用いられており，しばしば「Ａ／Ｂテスト」と呼ばれます。ダイレクトメールに関する実験は何十年にもわたって行われており，たとえば2000年にはキャピタル・ワンという

クレジットカード会社が6万人を対象にしたRCTを行いました。しかし，新しく立ち上がった企業の8～17%しか「Ａ／Ｂテスト」を採用していないことが最近の研究でわかっており，民間団体が「Ａ／Ｂテスト」を利用していることを誇張しすぎないよう留意しなければなりません。問題は，心理学的方法とRCTがバラバラに考えられることが多い点です。心理学的方法は，必ずしも確実にテストが行えるわけではありません。また確実性のあるテストは構造や理論に欠ける場合があり，代わりに「うまくいくかどうかやってみる」という方法がとられます。それゆえ，先行知見をもとに着実に結果を積み重ねていくことが困難となるのです。

　民間団体が行動インサイトに目を向け始めた ── 特に，『実践行動経済学』などの本が人気になったことがきっかけとなった ── ことで，いくつかの利点が生まれました。確かに二重過程理論は，使いやすく理解しやすいシンプルな組織の枠組みを提示してくれるうえ，人間の行動についても十分役立つ予想をすることができます。実験は説得力があり「科学的」で，なおかつ「何が人を動かすのか」という興味深く，予想もしなかったアイデアを与えてくれます。そして社会のデジタル化が進むなかで，企業が独自のテストを行う領域は新しく急速に拡大していき，投資利益率を知ることも可能になりました。

　そして，ビジネスのために行動インサイトを提供する会社が，爆発的に増加しました。ブティックのコンサルタントから，既

存の会社内での新たな職務に至るまで，内容に特化した行動イ
ンサイトを提供できる会社です。たとえばオグルヴィ・アンド・
メイザー社の掲げるオグルヴィによる変化の実用性の言葉を借
りれば，公共部門がつくったチームに比べてこのように行動
インサイトに特化した会社は，「行動の科学的解釈と創造の力
を組み合わせる」ことに重きを置いています。AIG，Google，
Amazon，ウォルマート，ジョンソン・アンド・ジョンソン
といった大手の企業は自社内に行動インサイトのチームをつく
ることにしました。また，「最高行動責任者」を置き，人間の
行動についてのエビデンスを結果論としてではなく，最も高い
レベルの戦略的な話し合いの場に確実に組み込むようにした企
業もありました。

　最後に挙げる利点は，企業は売上の最大化のためだけに行動
インサイトを用いるわけではないという点です。行動インサイ
トには，組織の体制を立て直す能力もあると考えられています。
職務の手順やノルマの見直しは従業員がより健康で効率よく働
くことができるかにもつながります。ほかにも役員室では，企
業の重役たちが人種差別や性差別を減らすために行動科学に目
を向け，経営コンサルタントはよくある認識のバイアスを防ぐ
ために，いかに「行動戦略」が役立つかを力説して行動インサ
イトを利用しています。また，公的機関でも民間団体でも目標
が同じ場合もあるので，ビジネスにおいても「ナッジ・フォー・
グッド」が求められています。たとえば，ヴァージンアトラン

ティック航空では，学者が的を絞ったフィードバックをタイミングよく行い，介入をモニタリングした後に，パイロットが燃料効率のよい飛行方法を採用しました。それにより，費用を節約でき，従業員の仕事に対する満足度も上がりました。そして，大気中に排出される二酸化炭素量を 25,000 トン近く削減することができました。

　もちろん，ここにも批判を呼ぶ材料はあります。多くの場合，民間団体で行動インサイトを仕掛ける人は，方策の透明性が低いため，公共団体と同レベルの精査を受けていません。おそらく広告やマーケティングの分野の多くの人が，頑健な形で消費者行動を評価するという文化を身につけるのに苦労していることを認めざるを得ないでしょう。そしてナッジされた行動が一部の人々にとってはマイナスとなることもあります。

　だんだんとこのような問題は行動インサイトを仕掛ける側や議題を考える人たちのネットワークで話し合われるようになってきました。学者たちは，行動科学を発展させるだけではなく，実社会で行動科学が応用されたときに発生した実質的で政治的な問題と向き合うようになりました。ハーバード大学には未来の専門家を訓練するため「行動インサイトグループ」が設立されました。新たに行動科学および政策学会が設立され，どんどん新しく行われる国際会議を統括しています。そして，行動科学を用いた動きを図にまとめたり，批評をしたりする『*Behavioural Public Policy*（行動公共政策）』や『*Journal of*

Behavioral Public Administration（行動行政ジャーナル）』と
いった刊行物もつくられ始めました。

　最後に，行動インサイトのエコシステムに現れた，忘れては
いけないグループを紹介します。それは，一般の人々です。食
育のなかでも触れましたが，個人や非公式のグループでも行動
科学のインサイトを取り入れ，自分の目標をもっと効率よく達
成するために使うことができるのです。たとえば，多くの人が
大勢の前で話したり，大事な会合に参加したりするという任務
を行う前には不安を感じます。そしてだいたいの人は不安に対
処しようと気持ちを落ち着かせる方法をいくつか試みます。し
かし，この不安を楽しさに変換するというのが新しいアプロー
チです。研究の結果，この方法を使った人は不安を伴う任務を
より巧みにこなすことができるとわかりました。このように行
動科学からヒントを得た方法は，役に立つだけでなく簡単で，
日常的に使うことができます。

　ここまで学術的な基盤が集まり行動インサイトが生まれた歴
史と，多くの発案者，優先事項，機会，緊張からなる行動イン
サイトのエコシステムの成長について見てきました。しかし，
どんな歴史のなかにでも，物語が進むにつれ失われていくもの
もあります。第3章では，行動インサイトのアプローチとは何
なのか，そして何ができるのかをいくつかの例を挙げてじっく
りと考えます。

第3章

行動インサイトの実用例

　これまでの章では，行動インサイトのアプローチを定義し，その成り立ちを見てきました。本章では，行動インサイトを実社会の問題に適用した具体例を見ていきます。場所や問題などが異なる簡潔な実例をいくつか紹介し，同様の問題に対して一般に使われるアプローチと比較していきます。

　それぞれの実例は，介入ごとに分類したシンプルな枠組みにまとめられています。この枠組みには，第1章の図2（29ページ）で示した三つの基本的な介入（規則，インセンティブ，情報）が含まれます。そして，行動インサイトがどのようにそれぞれの介入を強化できるか例示していきます。そのため三つの介入のほかに，重要ではあるものの軽視されがちな二つの介入を追加しました。その二つとは，手段を変える介入と決定時の環境を変える介入です。この枠組みは完全とはいえませんが，私たちは有用だと考えます。

　本書では随所で行動インサイトの概念（たとえば，デフォルト，社会規範，フレーミング効果）を取り上げていますが，行動インサイトのすべてのアイデアや効果を網羅しているわけではありません。しかし，包括的ではなくても重要な点を押さえており，多くのアイデアの定義は用語集（222〜227ページ）に記載してあります。

規則：デフォルトで環境にやさしく

　契約している電力プランを，より環境にやさしいものに変えることは，私たちにもできる二酸化炭素排出量削減方法の一つです。顧客の決定に影響を与えるような多くの情報，あるいは異なる情報を提供することが，これまで変更を促すためにとられていた策でした。しかし，実際にプランを変更する人の数は少ないままでした。電力を選んで買うということが難しいのかもしれませんし，選ぶのが厄介だと思われているという部分もあります。1990年代後半，ドイツのある電力会社は電力供給サービスを三つのプランに分けました。最も安く環境にやさしくないプラン，価格は中間で環境にやさしいプラン，最も高くさらにエコフレンドリーなプランの三つです。顧客はいずれかのプランを選ばなくてはいけません。出発点 —— 前もって選ばれているデフォルト —— は，価格が中間で環境にやさしいプランに設定されており，ほかの二つのプランに変えたい顧客は，通知された手紙に自ら返信をしなくてはなりません。

　規則の変更を明示するため，15万人の顧客に三つのプラン
から好きなものを選べるが，何も返答がない場合は前もって選
ばれている，価格が真ん中の二つ目のプランを選ぶことになる
という通知の手紙が送られました。おそらくここまで読んだ内
容からどうなったかは察しがつくと思いますが，著しい結果が
出ました。手紙を送った2カ月後，94％の顧客がデフォルト
プランのまま変更をしませんでした。この結果は，たった一夜
にして市場全体のほとんどが自動的に，環境に配慮した代替プ
ランへ切り替えたことを意味します。最も安いプランに変えた
顧客はわずか4.3％，最も高いプランに変えたのは1％，ほか
の電力会社に切り替えたのは0.7％でした。デフォルトに左右
されるのは消費者だけではありません。国際司法裁判所による
条約についての判決を容認することをデフォルトに設定したと
ころ，能動的に選択しなければならなかったときはわずか5％
の国しか容認しなかったのに比べて，80％の国が判決を受け
入れるようになりました。

　制度レベルの法や規則を変えることは常にできるわけではあ
りません。しかし，私たちが決定をするときに使う経験則をよ
くする試みはできます。たとえば，クレジットカード会社が顧
客に対して，これまでの決定過程をシンプルな経験則と入れ替
えるように教示するのです。具体的には，20ドル以下の買い
物の場合は現金で支払うようにすることで，「**対照群**」と比較
して6カ月後のリボルビング払いの借金額が平均して104ドル

少なくなったという結果が出ました。また，シンプルで信頼できる経験則を使った基礎的な会計実務を，起業家に教示するという使い方もできます。たとえば，ビジネスの利益を計算するには物理的にビジネスと個人の口座を分けて，口座間での出入金についてシンプルな規則を決めればよいのです。このアプローチを使った結果，標準的な会計トレーニングに比べて，財務管理が約10％改善されたことがRCTで示されました。

インセンティブ：お金よりお金以外の見返りが好まれる場合

2010年，ザンビアにおいて成人のHIV罹患率は14.3％と世界で最も高くなりました。しかし，罹患を防ぐ避妊具の需要は低いままでした。避妊具の使用を促すため，ナヴァ・アシュラフが率いる研究者グループは，影響力のあるメッセンジャー —— 特に美容師や理髪師 —— に女性用コンドームを売るよう依頼しました。費やせる資金はたいてい限られているので，協力してくれるメッセンジャーたちに謝礼金を支払うべきか，あるいはお金以外のインセンティブで十分であるのかを調べる必要がありました。依頼を受けた美容師は無作為に，売上の90％を受け取る群，売上の10％を受け取る群，国民全体の健康目標に貢献したことを強調するため売上が公開された進捗チャートに載るという非金銭的インセンティブを受け取る群，そしてボランティア「契約」として報酬は受け取らない群（対照群）に分けられました。そしてコンドームの売上のモニタリン

グを行いました。

　1年間のモニタリングの結果，金銭的インセンティブを受け取った群の売上は，対照群と差がありませんでした。しかし，進捗チャートに載った群は，ほかの群の2倍以上多くのコンドームの売上を伸ばしていました。この結果は少なくとも1年間ぶれることはなかったので，ただインセンティブの目新しさに動かされていたわけでもありません。この実験デザイン[1]により研究者が示したのは，消費者の需要ではなく，メッセンジャーの費やす労力が上がったことです。金銭以外のインセンティブを受け取った美容師は，22,496個のコンドームを売りました。これはボランティア群よりも11,810個多い結果です。この実験結果は，自分の成果が進捗チャートという形で公開されるというインセンティブに行動インサイトを適用すると，たとえ従来のような金銭的インセンティブのほうが効果を発揮していたとしても，資金が乏しい環境下でもこのようにモチベーションを高められることを示しています。

　金銭的インセンティブは，間違いなく人の行動に大きな影響を与えます。しかし，第1章で述べたように，行動インサイトはさらに効率的な方法を考案することもできます。たとえば，個人の成果に報酬を与えた場合よりも，グループとしての成果に金銭的インセンティブを与えたほうが，より健康的に体重を

---

[1]　実験デザイン：実験を行うときに，どのように被験者を配置するか，要因をいくつに設定するかなどを計画して組み立てること。

減らすことができたという結果を示す研究があります。つまり，チームメイトを失望させたくないというモチベーションが加わり，報酬の保証を得るために頑張ったということです。

情報：だれが何をどう言ったかという影響

　よく知られている行動インサイトの実例の多くは，人の決定に関係する情報のフレーミングを変えるというアプローチが使われています。たとえば，世界各国の税務当局が行った実験の結果，用紙や催促状の提示内容を変えることで実質的に納税の順守が改善したことが示されました。これらの変更には，この手紙を受け取ったあなたは税金を未払いのままにしている少数派の一人です，というような新しい情報の提供や，特定の状況において当事者が具体的に何をすればよいのかをはっきりと指示するなど，既存の情報を明確にすることが含まれます。このように全人口を対象とした一般的なメッセージの効果を扱う場合，考慮すべきなのは特定のサブグループ[*2]がどう反応するかという点です。たとえば，エリザベス・リノスが行った研究によると，警察官の仕事にやりがいがあることを強調した求人広告は，従来のように公衆保護や公務と書かれた広告よりも求職者の目に留まり，効果を発揮したことが示されました。そして，全般的な効果と比べて，この「やりがいがある」というメ

[*2]　サブグループ：部分群。

ッセージは有色人種や女性の求職者には3倍効果があったという結果も出ました。この点については最終章でさらに詳しく触れることにします。

　メッセージの提示方法が結果に反映されたように，メッセンジャーの変更も効果を発揮しました。たとえば，アメリカで行われた一連の研究では，職場のチームリーダーから労働者に向けてやる気を起こさせるメッセージが送られた場合と，その職務から恩恵を受けている受益者から労働者に向けて送られた場合の効果の違いを比較しました。その結果，リーダーからのメッセージよりも受益者からのメッセージのほうが，生産性や効率を高め，有意に職務へのよい影響を与えることがわかりました。同様のメッセンジャー効果は，チャリティー活動への寄付，禁煙，判決への賛成促進にも見られました。また，メッセージのタイミングも，私たちが思っている以上に行動に影響を及ぼします。運転する直前に運転手にシートベルト着用を促すことで，着用率は上がりましたが，運転の5分前に促しても効果は見られませんでした。

環境：作業場周辺の床スペースを見直して職場の安全性を高める

　世界では，毎年職場での事故がおよそ3億4,000万件起きています。このような事故は，個々の命にも経済への貢献にも甚大な被害を与えます。事故の原因が劣悪な労働条件にある場合

もあれば，労働者自身の行動に要因がある場合もあります。た
とえば，中国のある繊維工場では，従業員が余分な布切れを床
に落とすという習慣があり，滑る危険が生じていました。なぜ
布切れを床に落とす習慣ができたのかというと，休憩なしで働
くことで金銭的なモチベーションがあったからです。工場で
は，労働者の行動に影響を与える従来のアプローチが試されま
した。ゴミ箱に余分な布切れを捨てることに金銭的なインセン
ティブを与えたのです。しかし，期待したような結果は出ず，
布切れは引き続き床に落とされて，危険度は依然として下がり
ませんでした。

　研究者のシェリー・ジュエユ・ウーとベッツィー・レヴィ・
パラックは工場と組み，意味のある視覚的手がかりを床に貼付
することで従業員の行動を変えられるのではないかと考えまし
た。具体的には，製造作業を行うスペースの床に金貨を描いた
ステッカーを貼ったのです。中国には金貨を富や幸運の象徴と
考える文化があり，従業員はその絵を布切れで覆ってしまうこ
とに抵抗を感じたようです。このステッカーを床に貼ったこと
で，床に落とされる布切れの量は20％減りました。たとえ小
さくても，場面に応じて意味のある変化をつけるだけで，人々
に定着してしまっているように見える癖を直すことが十分可能
なのです。

手順：ピーク・エンドの法則を利用して結腸内視鏡治療を
もっと楽に

　「物事をすばやく済ます」ことは，医学の分野での一般通念です。これは効率を考慮した精神でもありますが，特に治療が痛みを伴う場合には速さが重要であると考えられています。1995年にトロントを拠点とした外科医と学者のチームは，非常に具体的な研究課題に取り組みました。その課題とは，結腸内視鏡治療を受ける患者の苦痛を軽減することです。この研究は「**ピーク・エンドの法則**」として知られる現象に関係しています。この法則は，人の判断や記憶は経験のピーク時と最後の部分に重みづけられて決まることを述べています。当時，結腸内視鏡治療は「すばやく済ます」べき治療法の代名詞ともいえ，管を抜く最後の瞬間に必ず相当な不快感を与えるものでした。チームは治療時間が長くなるとしても，もっとゆっくりと「抜去」を行えば不快感は軽減するのではないかという仮説を立てました。このインサイトは正解でした。時間は3分長くかかっても，ゆっくりと抜去を行ったほうが内視鏡治療を受けた患者が数字で表した全体的な痛みは，通常のすばやい抜去を行った患者よりも低く，治療の経験についてもより好意的な印象をもったことがわかったのです。

　このような簡潔な実例でも，行動インサイトが重要な課題にかなりの効果を発揮したことがおわかりいただけたと思います。しかし，これらの例はどのように介入が設計され，どのよ

うにその効果が計測されたのかを明らかにはしていません。第
4章では，行動インサイトを用いる実際の段階に目を向けてい
きます。

第4章

行動インサイトの応用

　世の中は，行動インサイトの実用書であふれています。その
ほとんどに共通して書かれているのは，問題となる行動を特定
し，解決策を立案し，そのインパクトを評価するための原理と
活動内容です。本章では，行動インサイトの徹底的な「ハウツ
ー」ガイドというよりも，基本的な特徴を簡潔にまとめていき
ます。本質的な知識を重点的に見るといっても，すべての関連
文献を見直すわけでも，インターネットでのリサーチを事細
かく説明するわけでもありません。本章を始めるにあたり役
立つのは，行動インサイトの取り扱い方をもっと掘り下げた
OECDのベーシック・ツールキットです。

　ツールキットの内容を組み立てるために，本著者のエルスペ
スが求職プロジェクトで行った実務を見てみましょう。このプ
ロジェクトは，イギリスの職業安定所（ベッドフォード・ジョ
ブセンター）と共同で，求職者の求人イベントへの参加率を上

げるために行われました。私たちは，参加候補者に送る標準的
な SMS（ショートメッセージサービス）の招待メッセージの文
言を変えることで，参加率に影響が出るのかを調べました。その結果，最も効果があったメッセージはこれまでの 2 倍以上の参加者を集めました。

　本章でこの実例を選んだのは，複雑さがなく極めてわかりやすく，しかも鍵となる項目を順序立てて説明するのにぴったりだったからです。また，失業率の低下にも当てはめられるため，視野を広げてさまざまな状況の要所に流用ができます。そして，このプロジェクトは学術誌に掲載されたため，本書の読者により深く学んでもらうことも可能です。

　本章で示すのは，以下の 10 個のステップです。

1.　範囲を定める
2.　課題を対応可能な要素に分ける
3.　ターゲットとなる結果指標を特定する
4.　関連する行動間の関係を明らかにする
5.　それぞれの行動に影響を及ぼす要因を特定する
6.　優先して対処するべき行動を選ぶ
7.　優先する行動を生むためにエビデンスが導く介入を立案する
8.　介入を実行する
9.　効果を評価する

10. 結果に基づいてさらなる措置をとる

　わかりやすくするために，手順を順番に並べましたが，実際は各段階の間にフィードバックが繰り返され，そこから得た新たな知識をもって一つ前の決定に戻るという作業を行っています。このような反復が起こりそうな手順には注意をします。

ステップ１：範囲を定める

　まずは，この任務の総合的な目標という全体像から始めます。ここで使う実例の総合的な目標は，失業率の低下です。非常に細かいことから始め，個人の行動を観察し，目標に向かってレベルアップしていくこともできるのに，総合的な目標から取り掛かるというのは，トップダウン式のアプローチだと理解しています。そのような場合には，最初の範囲を定めるステップをもっと迅速に行います。

　総合的な目標が見えたところで，戦術的あるいは戦略的なアプローチのどちらを用いるかを決めます。第１章で述べたように，戦術的に操作可能なレベルの変更や，システムの限られた部分のみに手を加えるべきプロジェクトもあれば，戦略的に問題の対処をするために政策や構造を基礎から変えたり，時にはシステム全体を変えたりすべきプロジェクトもあります。この段階では，はっきりとした介入機会は見えてきませんが，行動インサイトは実用的なアプローチであるため，「検討中」とな

っていない選択肢を探すのに時間を費やすのは避けて，戦術的か戦略的か，どちらのアプローチをとるかをここで決定するのが賢明です。

　範囲を定める一つの方法は，実行できそうな介入の種類を特定することです。そのために，第3章で紹介した枠組みをもとにした五つの質問を使います。質問に答えることで，この任務の限界をもっとはっきり捉えることができます。これらの質問は，ステップ2の完了時に使ったほうが回答しやすいかもしれません。以下が五つの質問です。

1. 規制，法律，政策などシステムを統治している**規則**の基礎を変えることはできますか。
2. ある行動の社会的あるいは経済的コストと利益など，行為を起こす**インセンティブ**を変えることはできますか。
3. 提供された**情報**を変えることはできますか。
4. 決定が下される**環境**（たとえば，ある活動が完了する空間）を変えることはできますか。
5. たとえば，進行の妨害となるものを除いたり減らしたりして，当事者が実行する**手順**を変えることはできますか。

　本章で参照する実例の範囲は，明らかに戦術的アプローチに分類されます。なぜなら，この任務は迅速に，手元にある資力のみを使い，大きな組織に属した一つの職業安定所内で実行し

なければならないからです。また，この任務を託された共同作業者が管理できるのは，職業安定所における手順，環境，情報のみであるため，実行できる介入にも制限があります。これらの要因を前もって割り出しておくと，介入によって望んだ通りの行動を導ける可能性を秘めた問題の要素を特定でき，ステップ2からステップ6に集中して取り組めます。

本例では，戦術的介入であることと範囲が制限されていることにより，明確に推移を追うことができます。また，戦術的介入の例は広い適用性をもちます。そのため，戦術的介入を使って，すばやく効果的に行動インサイトを用いる機会を，ほとんどの組織が少なくともいくつかはもっているものです。一方，戦略的介入を使う機会は状況によって異なります（たとえば，政府のみが規制できる場合など）。ですが，ステップ10では労働市場におけるさらに幅広い任務として，範囲が戦略的な性質をもち，ほぼどんな介入でも用いることができる場面も考慮しました。このケースでは，焦点を絞ることが不可欠であるため，ステップ2とステップ3にはより時間がかかります。

ステップ1の結果：この任務の範囲が戦術的であることを確認しました。そのため，実行可能な介入は，私たちが共同で任務に取り組んでいる職業安定所内の情報，環境，手順を変えることだけに限定されるとわかりました。

ステップ2：課題を対応可能な要素に分ける

　行動インサイトのアプローチは，複数の当事者が起こしたり解決したりする複雑で無秩序に広いさまざまな問題に対処しなくてはならないことがあります。失業率を下げるという総合的な目標を達成するため，まずは基本的な条件と，その条件をつくる実行者と措置を特定します。103ページの図6は，この手順を細かく分解してシンプルに表したものです。左から右へと読み進めてください。

　だれが何をするかがはっきりと見えてきたら，どんな介入の機会があるかを評価するとよいでしょう。たとえば，図6が示すように無職の一個人ができることは二つくらいしかありません。一方で，失業者への援助や，雇用時に企業が従う規制など，政府は雇用法を広い範囲で変えることができます。そういった変更の多くは，適用が遅く，コストがかかり，政治色が強いという特徴をもち，行動インサイトはそれらを補う役割を担います。これに対して，職業安定所ができるのは，地元の労働市場が求めているのはどんな技能であるかを知る新たな方法を試すこと，また雇用主にできるのは応募者がバイアスをもたないようにするため申請手順を微調整することなどです。期待するインパクトや実現可能性の観点から見ると，それぞれができることは大きく異なることがわかります。

　ステップ1で定めた限られた範囲を用いて職業安定所が取り組む部分は，図6の右下に示されています。それから，実現可

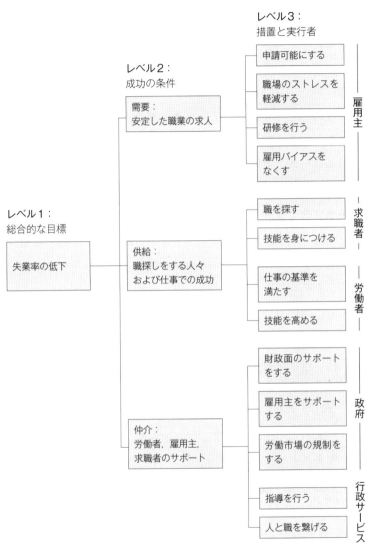

図6

能性の観点からどの機会に最も見込みがあるか，そして総合的な目標にインパクトを与えられそうかを査定します。これらのインパクトと実現可能性の基準については，この手順のいろいろな段階で役立つので後述します。ここでは，有効求人に人材をつなげることが最も見込みのある機会だと結論づけました。

　ステップ2の結果：職業安定所が人と職とをつなげる方法に焦点を当てることを選びました。

ステップ3：ターゲットとなる結果指標を特定する

　このステップでは，失業率を下げるための手順を進める最良の方法を見つけます。そのために，ステップ1とステップ2で特定した範囲，入手可能なデータ，任務の所要時間を参考にします。この例では，どう職業安定所が人と職とをつなげるかに焦点を当てているので，それを行うための妥当な手段を見つけなければいけません。

　職業安定所が求職者と仕事を繋げる方法はたくさんありますが，プロジェクトチームの分析によると，ある一つの方法に見込みがあることがわかりました。それは，大規模な求人イベントを催すことです。職業安定所は，すぐに欠員を埋めたいと考えている地元の雇用主（たとえば，新しく開業するスーパーマーケットや工場）と組んで，イベントを立ち上げることがあります。イベントによって仕事を見つける人の数は増え，成功を収めます。そのため，職業安定所は雇用主との関係を築き，イ

ベントにスタッフを配属し，開催時には雇用主の指導を行うため資力を投じます。まず明らかに重要なのは，イベントに参加者を集めることです。イベントの開催前に，職業安定所は参加候補者を特定し，SMSで招待メッセージを送ります。しかし，イベントで仕事を見つけられる可能性は高いにもかかわらず，招待メッセージを受け取った候補者の10%前後しか実際には参加しないのが通常でした。

　大規模な求人イベントへ招待された求職者の参加率には，ターゲットとなる結果指標としてよい特徴がいろいろありました。イベントは求職者が仕事を見つけるのに効果的である場合が多いため，参加するという行動は総合的な目標に明らかに関係します。また，ターゲットとなる結果指標は比較的具体的でもあります。なぜなら，この任務に関与しているグループは明確であり，参加するという行動も，計測するやり方も明確です（結果によっては，目標達成までの時間が明確になることもあります）。また，望まれる行動は既存のシステムに確実に記録してあるので，費用と不確実性は最小限に抑えられます。最後の特徴は，ターゲットとなる結果指標においてムーブメントを起こす可能性もあることです。エビデンスからわかるのは，これまでの参加率が低かったことだけではなく，比較的小さな変化（つまり，わずかに参加しやすくなること）がこのモチベーションを活性化して，変化を生むのは妥当であり，多くの求職者が仕事を見つける意欲が高められ，行動に変化を起こせると

いう点です。

　この要点を押さえると，次のステップはターゲットとなる結果指標のなかに，どれだけの変化が見られれば成功と呼べるかを決めることです。この介入に関与している当事者は，早い段階で「十分よい」といえる改善の度合いを決めて，合意していなくてはなりません。最もシンプルに説明するならば，これは費用便益分析の問題と考えられます。つまり，介入のために費やした予算が妥当だったと考えられる改善レベルとは何か，という問題です。しかし，この基本的な要求よりも願望がはるかに上回ることもしばしばあります。たとえば，多くの政府は失業対策として，利益がコストを上回り，国の雇用レベルとして基準値をはるかに超える非常に野心的な目標を掲げることがあります。

　しかし，現実的な願望とは何でしょうか。その答えを出すには，現存するエビデンスを検討する必要があります。たとえば，地元の雇用率を10％上げるという願望をもったとします。しかし，最も効果的な既存の介入では，1％しか向上しませんでした。その場合，期待値を再調整するか，プロジェクトを再考するしかありません。この期待値を早い段階で設定しておくことで，ステップごとに見直しする箇所を印づけることができ，最初の願望を振り返ることができます。

　このプロジェクトでは，総合的に招待された求職者の参加率が10〜15％（すなわち50％の増加）に上がれば妥当な目標で

あると決めました。このような増加は，費やした労力が無駄ではなかったと考えられる結果と，類似した介入を参考にして現実的な変更だといえる結果を両立できます。また，もっと情報を得れば，目標はもっと具体的にできますが，基本は安定したまま保つことができることです。

　ステップ3の結果：ターゲットとなる結果指標として，大規模な求人イベントへ招待された求職者の参加率を10〜15%に上げることに設定しました。

ステップ４：関連する行動間の関係を明らかにする

　このステップでは，どんな行動がターゲットとなる結果（求人イベントへの参加）を生むかを理解します。そのため求人イベントについて情報を集めなければなりません。本例では，イベントはどのように立ち上げられるのか，求職者はイベントをどのように知るのかなどの行動に関係する情報です。情報収集には，同トピックについての研究結果を参考にする，インタビュー，観察，フォーカスグループ*1 などの定性的な調査アプローチを行う，実際に手順を体験する，アンケートやデータ分析などの定量的方法を使うなどが含まれます。先に述べたように，情報収集についてここで詳しくは述べません。

　情報収集を行う前に，それぞれの方法の長所と短所，そして

---

*1　フォーカスグループ：調査のために集められた人に，議論してもらい意見を聞く方法。

私たちの認識にずれのある箇所を把握する必要があります。た
とえば，行政サービスについてのフィードバックに基づいた利
用者の意見をすでにもっているとしましょう。そうしたら，そ
の情報とどのようにサービスが利用されているかという行政記
録データと照らし合わせて，立証ができるかもしれません。フ
ィードバックだけでは，とりわけよい経験あるいは悪い経験を
したという内容が偏って寄せられている可能性があり，私たち
が参照できる情報は限られてしまいます。だからこそ，行政記
録も併せて相互に参照することが重要なのです。フィードバッ
クに書かれている内容(待ち時間が長かったなど)が利用者を
代表する意見であるのかは，行政記録データと照らし合わせる
ことで確認できますし，直接調べることで利用者の新たな意見
を知ることができます。複数の情報を参照することで，実際に
何が起きていたのかを正確に把握できるのです。

　ベッドフォードでの人々の行動を知るため，私たちは簡単な
インタビュー，センターがどのように利用されているかの観察，
作業方法を記載した書類の見直しを行いました。この目的は，
関連する行動を求職者と職業安定所両方の視点から把握するこ
とです。そのために，それぞれに該当する(該当するかもしれ
ない)のはだれか，それぞれの経験や視点には根本的にどんな
違いがあるかを特定します。この手順を経て，結果に影響を与
える四つのグループを特定しました。そのグループとは，(1)
無職の人(求職者)，(2)職業安定所職員，(3)雇用主候補，(4)

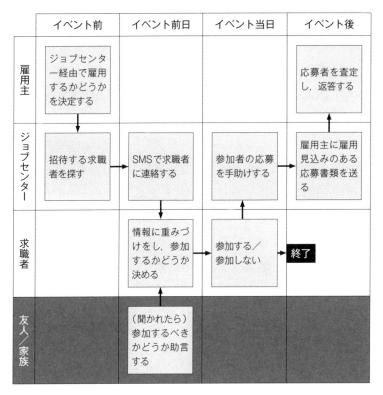

	イベント前	イベント前日	イベント当日	イベント後
雇用主	ジョブセンター経由で雇用するかどうかを決定する			応募者を査定し，返答する
ジョブセンター	招待する求職者を探す	SMSで求職者に連絡する	参加者の応募を手助けする	雇用主に雇用見込みのある応募書類を送る
求職者		情報に重みづけをし，参加するかどうか決める	参加する／参加しない　終了	
友人／家族		（聞かれたら）参加するべきかどうか助言する		

図7

無職の人の社会的サポート・ネットワーク（通常は友人や家族）
です。

　それぞれのグループは，求職者が求人イベントに参加する可
能性を高める一連の行動をとることができます。図7に示され
た矢印で繋がれているのは，関連する行動です。このようなプ

ロセスマップは，よく使用されますが，それぞれのグループは
「レーン」あるいは列ごとに分けられ，行動は縦に並んでおり，
グループ間で段階ごとにバトンが受け渡しされています。

　本件では，求職者側からも職業安定所側からも行動に十分一
貫性がありますが，求職者によっては友人や家族が関与してい
る場合もあります。このグループがグレーで塗りつぶされてい
るのは，職業安定所からは見えない部分だからです。このよう
に行動を図にすることで，だれが何をするか，それぞれの行動が
総合的な目標にどれくらい影響を与える見込みがあるかが見え
てきます。たとえば，求職者のもとへ招待のメッセージが送ら
れるかどうかは，参加するという行動に非常に大きな影響を与
えます。一方，友人や家族からの助言による影響は，それよりは
小さいでしょう。ターゲットとなる結果を生む可能性のある行
動を，111ページの図8にダイアモンド型の番号で表示しました。

　ステップ4の結果：調査から得た情報をまとめて，求人イベ
ントへ参加・不参加を決定する行動を図に表しました。

ステップ5：それぞれの行動に影響を及ぼす要因を特定する

　行動に影響を与えるには，何が行動を生むのかを知る必要が
あります。ここで必要となるすべての情報はステップ4で入手
しているかもしれません。しかし，ここでまた未解決の疑問が
出てくることもあります。そのような場合，さらに調査を進め
てもよいでしょう。

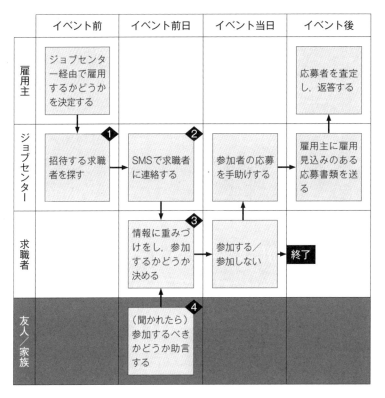

図8

　では，どのように行動の根底にある要因を特定したらよいのでしょうか。ここで役に立つのは，行動を生む要因を三つの主なカテゴリーに分けた「COM-B」モデルです。

1. **能力（C）**：活動に携わる個人の心理的および肉体的能力。

行動に影響を与えるには,
何が行動を生むのかを
知る必要があります。

適切な技能や知識をもつことを含む。

2. **機会（O）**：行動を可能にする，または引き起こす個人の
   コントロール外にある要因。

3. **モチベーション（M）**：行動を推進する認知過程。意識的
   および無意識的な決定，習慣，感情的な反応を含む。

　以下の図9は，このプロジェクトに影響を与える要因分析を
簡単に示したものです。

行動	内容	関連する要因
❶	イベントに招待する人を選ぶ	• 能力：技能を分類する能力 • 機会：応募可能な職業の数（選考の厳しさを決める），公的な職業分類の構造
❷	招待メッセージを作成し，送る	• 機会：多忙なスケジュールにより，いつもは場当たり的になるメッセージ送信のタイミング • モチベーション：職員の作業量が少ないほうが望ましい（デフォルトの定型書式と伝達手段を使用する）
❸	イベントに参加するか否か決める	• 機会：イベントと同時刻に先約がある可能性 • モチベーション：雇用される可能性の高さ，周りの人からの助言の重みづけ，やる気のなさと自己効力感の低さ，不注意
❹	参加するべきか助言する	• 機会：イベントについて知らない可能性 • 能力：労働市場についてきちんと理解していないあるいはできていない可能性と，その結果として就業する可能性のある職業の質についてよい助言ができない可能性

図9

第3章でも触れたように，行動インサイトのアプローチは決
して個人的でなくても構いません。現段階でのこの時点につい
て考える具体的な方法としては，機会（O）の要因（行動する
個人のコントロール外にある）を，介入の要点として使うこと
です。介入を展開するには，どのくらい行動を簡単に変えられ
るか，また行動に変化があったときにどのくらいのインパクト
が生じるかという判断に基づいて，それぞれの行動に順序をつ
け，現段階でもっている知識を使わなければなりません。

　ステップ5の結果：関連する行動に影響する要因を明らかに
し，障壁や手助けとなるものを特定しました。

ステップ6：優先して対処するべき行動を選ぶ

　これは，求人イベントへの参加率を高めるべく（失業率の低
下という，より大きい目標のため）介入を作成する前に行う最
後のステップです。行動を変えることや，行動を変える実現可
能性から見込まれるインパクトをもとに，それぞれの行動にラ
ンクをつけて順序立てます。それには，以下の質問を使います。

1. インパクト：この行動は結果に対してどれくらい重要で
   すか。
   a. この行動は，結果を導くために必ず必要ですか。言い
      換えれば，この行動により，どのくらい求人イベント
      への参加に影響がありますか。

　　b. この行動をできる人は何人いますか。また，できない
　　　人は何人いますか。
2.　実現可能性：この行動を変えられる可能性はどのくらいあ
　　りますか。
　　a. 行動に影響する要因は修正することができますか。
　　b. 行動を変える必要性は政治的に許容できますか。費用
　　　は妥当ですか。与えられた時間枠内で遂行可能ですか。
　　c. この行動を変えることを難しくするかもしれない関連
　　　ある個人や組織から，時間あるいは資力に関してほか
　　　に要求がありますか。

　これらの質問が一般的で高いレベルであることは意図してい
るところです。実際にランクは付随する要因によって決まり，
文脈によっても変わってきます。ベッドフォードのケースにお
いて，この査定が導いた結論は，図9（113ページ）に示され
ている二つの関連する行動に着目すべきだということでした。

・図9の行動2：ベッドフォード・ジョブセンターの職員の一
　　　　　　　人が，SMS経由でイベントへの招待メッセー
　　　　　　　ジ（イギリスでいうところの「招待状」）を作
　　　　　　　成し，送る。
・図9の行動3：SMSを受け取った人がイベントへ参加／不参
　　　　　　　加を決める。

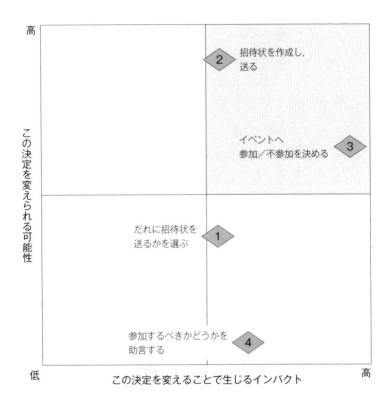

図10

　具体的にいえば，ここで順序がつけられたのは，行動の「モチベーション」に関連した要因です。全体的な結果をよくするうえで，それぞれの要因が影響されやすいか，また影響力があるかを基準としています。上の図10は，ランクづけをした結果のシンプルな図表です。

　ステップ6の結果：優先的に対象となる行動を，介入とともに二つ特定しました。SMSで招待メッセージを作成して送ること，そしてイベントに参加するかしないかを決めることの二つです。

ステップ7：優先する行動を生むために
エビデンスが導く介入を立案する

　このステップ7を終えるまでには，一つ前のステップで特定した優先する行動を導く介入案ができあがっているはずです。初めに，行動に影響すると思われる要因に基づいて，解決に向けての必要事項を具体化しなければなりません。図11（118ページ）はベッドフォードで行った内容をまとめたものです。グレーの字で書かれた影響を及ぼす要因は，変更できないと判断されたため，介入の範囲外としました。一方，対処する必要のある要因は黒い字で書かれています。具体的に解決に向けての必要事項を特定するために行ったことは，文献の見直しです。ほかのプロジェクトにおいて，COM-Bモデルが特定したような障壁がどう克服されて，手助けとなるものはどう活用されているかを参考にしました。このケースでは，どうすれば招待メッセージが注目を引き，自分に宛てて書かれているような親近感が湧くかに焦点を絞って調査を行いました。つまり，仕事が見つけられるのではないかと思わせたり，やる気を起こさせたり，行動を促すやり方を探したのです。

行動	寄与する要因	解決のための必要要件
② 招待メッセージを作成し,送信する	機会:多忙なスケジュールにより,いつもは場当たり的になるメッセージ送信のタイミング モチベーション: • 職員の作業量が少ないほうが望ましい(デフォルトの定型書式と伝達手段を使用する)	• 現状維持バイアスや労力忌避(きひ)を利用する:使用可能な既存の伝達経路,手順,オートメーション,書式を使う
③ イベントへの参加/不参加を決める	機会:イベントと同時刻に先約がある可能性 モチベーション: • 雇用される可能性の高さ • 周りの人からの助言の重みづけ • やる気のなさと自己効力感の低さ • 不注意	• 注目を引くため,メッセージを個人化し,自分に合った機会であるという意識を高める。 • 個人化された思いやりのあるメッセージでやる気を起こし,前向きな気持ちにさせる。

図11

　また,メッセージの考案や送信に関する要件を満たすために,既存のSMSによる招待メッセージの文言を変えることが参加率の向上に繋がるかどうかもテストしました。この介入を選ぶために,再度インパクトと実現可能性の分類を適用し,考慮する項目として受容性と拡張可能性の二つも加えました。受容性とは,提案された介入に政治的あるいは倫理的に問題がないか(第5章で深く掘り下げます)を意味します。拡張可能性とは,その介入が,当初予定していた適用範囲やテストをする場以外でも使用ができるかの尺度です。たとえば,もしうまくいけば,

本例で最も成果が大きかったメッセージを，国家システムレベルで使用されている既存のデフォルト書式と入れ替えることもできます。また，この要件によって拡張可能性が増し，トレードオフを生むこともあります。作成するメッセージは，国家レベルでの使用にあたっても，正確であり，問題との関連性を保つために十分に包括的でなければなりません。そのため，求人イベントに来れば仕事につながりますなど，どんなケースにも当てはまるわけではないメッセージは提示できません。このようなトレードオフは，政策およびサービスの設計において共通する部分です。

　SMSシステムを使用することが決まると，200文字以下でどのように解決要件となるメッセージを作成するのかという疑問が出てきました。既存のエビデンスを見直しても，このような行動を促すはっきりとした最もよい前例は見つかりませんでした。そこで，第1章から第3章までにいくつか紹介した行動科学からの基本原理を参考にすることにしました。全般的な原理を参考にして，具体的な介入をつくるまでは，それだけで本が一冊書けるほど細かい手順が必要です。すでに述べたように，適したやり方でメッセージの考案や選択肢の提示をすることは，行動に重要な効果をもたらします。ここで，この手順の二つの主な特徴を要約してみましょう。

　一つ目は，見込みのある介入がどう受け取られるかを予想して既存のエビデンスを見直すことです。ここでステップ4と

ステップ 5 で個々の能力やモチベーションを明らかにしたとき
に，行動に影響が出たか（出なかったか）という結果を振り返
ってみてください。この結果やサービスについて，見込みのあ
る介入を心に留め置きながら自身で体験できればよいと感じた
のではないでしょうか。ここでの目的は，介入を経験した人が
しそうな反応を想定してそれを実験してみることです。ここで
厄介なのは，「類似性の錯覚」に惑わされる危険です。つまり，
人々の考えや知識について不正確な予想を立て，どう反応する
かについても不正確な予測をしてしまう可能性です。特に，介
入を考案する人は —— 深く関与しているため —— ほかの人が
自分たちの見解を共有する度合いや，自分たちの仕事について
の理解度や関与の度合いについて，過大評価する傾向がありま
す。

　このような課題を考慮すると，二つ目のアプローチは作成手
順の一環として見込みのある介入を直接参加者に提示できる点
においては有用です。一つのやり方は，低予算でできる方法で
介入を試運転してみることです。もし，介入の危険度が低く，
低予算で実行できるのであれば，実社会において少人数の参加
者を対象に介入の効果を評価できるのは有益です。これが不可
能である場合，類似した介入をつくり，オンラインで一部の参
加者にテストをしてみることもできます。

　ここで鍵となる優先事項は，正しく調査結果を使うことです。
介入についての人々の意見を得ることは，介入が本当に実行さ

れたときに人々がどのように反応するかを理解でき，有益です。しかし，有益である一方，これらの結果は必ずしも人がどのように行動するかを正しく導くわけではありません。こういった理由のために，標準的なフォーカスグループはたいていあまり役立ちません。しかし，行動を理解しようとするならば，実際の行動に最も近い内容に焦点を当てて，実際の状況と最も近い意思決定をシミュレーションしてみることです。

　もう一つのやり方としては，介入のシンプルなプロトタイプをつくるために，参加する可能性のある人と共同でテストを試みることです。このようなプロトタイプを使うことで，介入を改善したり，新しいアプローチを試してみたりすることもできます。プロトタイプを使う利点は，参加者の視点と深くかかわることができ，プロジェクトチームが思いつかなかった新たな観点を示してくれる可能性があることです。

　どの方法を用いたとしても，解決策をつくっている最中にエビデンス，理論，文脈が突如合わさり，新しい可能性が視野に入ってくるため，時にクリエイティブな変化をもたらすことがあります。実行するのは大変なように思われますが，介入を展開するためのさらなるサポートとなる役に立つ枠組みがいくつかあります。たとえば，行動インサイトチームのつくった「**EAST**」という枠組みは，いろいろな先行研究の知見を四つの鍵となる原理で統合したものです。もしだれかに何かをしてもらいたいときには，その行動は簡単で（Easy），魅力的

で（Attractive），社会性があり（Social），タイミングが適切（Timely）であるべきだ，という原理です。それぞれの項目は，ここまで述べてきた内容を広げるのに，役立つ概念と技法を含みます。

　この手順を使って，ベッドフォード・ジョブセンターでテストする四つのメッセージを作成しました。その四つのメッセージを紹介しながら，どのように関連するエビデンスを具体的な言葉に転換したのかについて簡単に説明します。文脈をはっきりさせるため，システムリンクという名称の工場が，警備員を求人しているという設定にしています。それぞれの例で，ほかの例と異なる部分は書体を変更して記し，わかりやすくしています。

A.　**対照条件。**この「対照条件」と呼ばれるメッセージは，ジョブセンターでこれまで使われていたものです。新しくつくったメッセージのほうが，効果があると簡単に決めつけることはできないため，既存のメッセージを使うことから始めました。

　　　「現在，システムリンクにて警備員を8名募集中です。6月10日（月）午前11時にベッドフォード・ジョブセンターへお越しください。詳しくはサラまで」。

B.　**個別化。**メッセージに受け取る人の名前を入れることで，

効果的に注目を引くことができ，受け取った人は伝達内容がより一層自分に関係していると感じるということが，既存の調査でわかっています。このケースでは，システムを利用してメッセージに受け取る人の名前を入れることができました。

> 「エルスペスさん，こんにちは。現在，システムリンクにて警備員を8名募集中です。6月10日(月)午前11時にベッドフォード・ジョブセンターへお越しください。詳しくはサラまで」。

C. **署名。**ベッドフォード・ジョブセンター職員の一人が，求職者に向けて助言を行います(「仕事のコーチ」として)。求職者が会ったことのある個人の名前を出すことで，(a)就職の機会がまっとうである印になり，(b)コーチと以前した会話とこれから話す内容を，すぐに得られる機会に繋げることができると仮説を立てました。ローン貸出担当者の名前を出したほうがローンの返済率が高くなるという同様の研究を参考にしています。しかし，これは返済者が担当者に会ったことがある場合にだけ有効です。ここでもまた，正確に仕事のコーチの名前をメッセージに含ませることが技術的に可能でした。

> 「エルスペスさん，こんにちは。現在，システムリンクにて警備員を8名募集中です。6月10日(月)午前

11 時にベッドフォード・ジョブセンターへお越しください。詳しくはサラまで。**マイケルより**」

D. **互恵性と運。** 相互的なやりとりにより人のモチベーションが高められることは，多くの研究でわかっています。たとえば，恩返しです。このケースでは，「あなたの席を用意してあります」という文言を足して，ジョブセンターが労力を費やし，メッセージを受け取った人を招待していることを強調しています。このように労力が示唆されているため，イベントに参加することで恩に報いたいという気持ちが生まれるのではないかという仮説を立てました。足した文言の直後に，「統制の所在[*2]」を知らせる「幸運を」という短いメッセージもつけました。求職者によっては，「内に向いた統制の所在」をもち，自身のしたことは自身に起きることに有意に影響すると考える人もいます。また一方で，「外に向いた統制の所在」をもつ求職者は，自分自身に起きることはほとんどが自分の管理外にある外部の要因によるものだと考えます。よって，統制の所在が外に向いている求職者は，内に向いている人に比べると，積極的に自ら職探しを行いません。同時に，外に向いている人は「運」を重んじる傾向があります。そのため，こちらのタ

[*2] 統制の所在：行動や評価の原因を自分あるいは他人のどちらに求めるかという概念。

イプの求職者には運をほのめかしたほうが効果的であると
考え，全体的な参加率を上げるために，幸運をという文言
を足しました。

「エルスペスさん，こんにちは。現在，システムリンク
にて警備員を8名募集中です。6月10日（月）午前11
時にベッドフォード・ジョブセンターへお越しくださ
い。詳しくはサラまで。**あなたの席を用意してあります。
幸運を。マイケルより**」

一つひとつ組み立てていったので，最終的に完成したメッセ
ージには効果をもつすべての要素が含まれていることがおわか
りになったと思います。このように一つひとつの要素を追加し
ながら設計していくことで，文言が組み合わさったときのイン
パクトを確認することができます。それぞれの具体的な効果を
分離してしまっては有用性が低くなってしまいます。もしそれ
ぞれの具体的な効果を知りたい場合には，それに応じて実験の
設計をします。

ステップ7の結果：行動科学の実用性とエビデンスからヒン
トを得て，SMSを使った招待メッセージを四つ作成しました。

ステップ8：介入を実行する

ステップ8とステップ9は同時進行で行います。実際には，
評価を設計して実行しなければ，計画した介入を開始すること

はできません。

　このケースでは，介入の実行自体は複雑ではありません。ま
ず，個人を求人イベントに招待する適切な文言を使ってテキス
ト・メッセージを自動的につくる必要があります。基本的なス
プレッドシートを使って文言を入れ込み，ひとまとまりのメッ
セージとしてメッセージ送信システムにアップロードします。
このスプレッドシートを使って，4種類の招待メッセージを，
乱数で無作為に割り当てた求職者に送信します。このスプレッ
ドシートが機能するかどうか，プロトタイプを使ってテストし，
発生した小さい問題を修正していきます。たとえば，もし受け
取る人の名前が長く，またその人が古いタイプの携帯電話を使
ってメッセージを受け取った場合，名前の途中で行が変わって
しまうという問題が発生したため，最初につくったメッセージ
を短くすることで対応しました。また，参加率が自動的かつ正
確に記録できることを確認し，実験の一環としてすでにメッセ
ージを送信した人への対応方法も考案しました。そして，実験
期間中に行われる三つの求人イベントの一つ目として，テキス
ト作成ツールの使い方を指揮しました。残り二つの求人イベン
トについては，テキストシステムにメッセージをアップロード
する前に，単に出力メッセージに誤りがないかを確認しました。

　ほかの実験では，介入の実行はもっと複雑であり，積極的な
管理と継続的な監視が必要です。介入の実行において不都合な
のは，新しい介入をテストするための面倒な要因が，物事を通

常どおり運ぶ手間と比較したときに上回ってしまい，そのために介入を実行したことで高められたモチベーションが一気に衰えてしまうという事実です。些細ないらだちでも新しい介入が実行に大きく立ちはだかります。たとえば，職業安定所内でほかの実験も行うことになり，行動インサイトチームは職員が目標設定ブックレットを使って行う新しい手順を実行しました。ブックレット自体の大きさは標準的でしたが，職員たちが使っているデスクの引き出しは標準よりも小さく，引き出しを閉められないという非常に厄介な要因を生んでしまい，再起できなくなるダメージが生じる前にこのような不便な状況を修正しなければならなくなりました。このようにほとんどの介入実行において「引き出し問題」のような障害が起こり得ます。そこで重要なのは，それを無視しないことです。新しい方法を試すことに関連して生じた負担を，プロジェクトチームのだれかが取り除くことができれば，テストの結果は新しい介入の効果 —— テストをやり遂げるために費やした労力は除いて —— が反映されていると保証できます。

　ステップ8の結果：無作為に割り当てた参加候補者の元へSMSで作成した4種類の招待メッセージのうち一つが送信されました。

ステップ9：効果を評価する

　第1章および第2章で，RCTについては何度か触れました。

この項目では，RCTの基本前提を振り返り，実際にRCTを行う詳細について説明します。なお，RCTはどんな介入にも適した評価方法ではないので，使用すべき場合にのみ使用します。ほかにも使用できる分析方法はありますが，本書の目的は実験的方法を指南することではないので，ここで詳しくは述べません。

　まず，RCTとは何だったか簡単に振り返ってみましょう。RCTとは，介入がある結果を導くために効果があったか，またどれくらいの効果を発揮したかを研究者が調べられる実験です。より正式にいえばRCTは，ある物事がほかの物事の要因となったこと（**因果推論**）に信憑性を生むため，公共投資を守ったり，その投資の利益を計算したりする役割を担う責任者には魅力的な方法です。因果推論というと複雑そうに聞こえますが，RCTがもつ三つの単純な特徴によって生まれたものです。

　一つ目の特徴は，しっかりと構築されたRCTは**大規模なサンプル**を使います。RCTでは被験者をグループ分けすることが肝心です。それぞれのグループに属する被験者の数をしっかりと確保することで，まぐれや異常値，そのほかの結果をゆがめる可能性があるノイズを取り除くのに十分なデータを集められます。データを多く集めることの価値を簡単に知るために，ある製品をオンラインで買うことを考えてみてください。同じ製品を販売している二つの異なる販売者のうち，一つを選ぶとします。販売者Ａは，その製品を9ドル50セントで売ってい

ますが，1,000人の購入者がつけた評価の平均値は星五つのうち3.5でした。一方，販売者Bは製品を10ドルで売っていますが，1,000人の購入者がつけた評価平均は星4.8です。参考にできるレビューはそれぞれ1,000件ずつあるわけですから，この状況において販売者BのほうがAよりもよいということはほぼ間違いがないと判断できます。あとは，その情報を参考にして，販売者の質のよさが50セントを上回るかどうかを検討します。しかし，もしどちらの販売者にも評価が10件しかついていないとしたら，総合的な評価をどれだけ信頼できるのか不安に感じるかもしれません。もしかしたら，ある一人の購入者が経験した1回の不運な出来事によって，販売者Aの評価が不公平に低くつけられてしまっている可能性も考えられるからです。言い換えれば，データが少なく差も小さいとき，はっきりとした結論を導くのは困難です。

　決して，サンプルが少ないと参考にならないといっているのではありません。しかし，確信できる推論をするには，評価にもっと大きな差（たとえば星一つと星五つ）が必要なのではないでしょうか。RCTにおいても同じことがいえます。サンプル数が大きければ，はっきりと全体像をつかむことができ，細かい効果も察知できます。「**検定力計算**」は通常，ある程度の信頼度をもつグループ間の具体的な違いを見つけるために，必要とされるサンプル数を算出するために使われます。検定力計算には，「**偽陽性**」（5％）と「**偽陰性**」（20％）の調査結果とい

RCTとは,
介入がある結果を導くために
効果があったか,
またどれくらいの効果を発揮したかを
研究者が調べられる実験です。

った許容範囲の標準的な程度などの想定と，各実験特有の入力データを組み合わせて使います。標準的な想定とともに，最もシンプルな検定力計算では，次に挙げるうちの2点は研究者が明らかにしておく必要があります。試験で扱うサンプルサイズ，介入により見込まれる効果の大きさ，そして現時点での関心のある結果指標のベースライン値です。このようなシンプルな検定力計算を行うのに役立つ無料で利用できるウェブサイトも複数あります。さらに複雑な計算をするには，サンプル内での分散といった追加情報も必要となるかもしれません。

　RCTの二つ目の特徴は，対照群を使用することです。前述したように，まずサンプルをグループ分けします。一つのグループにはテストする方法を用い（こちらは，「**介入群**」と呼ばれる），「対照」群には通常の手順を行います。そして，この対照群が反事実の結果を出します。つまり，対照群は —— 結果を通して —— 試験を実施している私たちが何の変更もしなかったらどうなるか（このケースでは，求人イベントへの既存の招待メッセージの文言を変更せずに，そのまま使用したとしたらどうなっていたか）という結果を示します。実際には，この対照群は，結果に影響を及ぼす可能性のあるほかの変更を組み入れているかどうかを意味します。たとえば，9月に開催する求人イベントへの招待メッセージを新しく変更するとします。そして，既存のメッセージを使用して，8月に開催したイベントへの参加率と比較するとします。もし新しいメッセージを送

ったイベントへの参加率のほうが高かったとしても，その原因
がメッセージにあるのか，それともほかにあるのかははっきり
とわかりません。8月より9月のほうが，天気がよかったのか
もしれませんし，イベント以外で求人をしている職種が少なか
ったのかもしれません。あるいは，休暇を経て多くの人が気持
ちをリフレッシュできたと感じているときに，たまたまイベン
トが開催されたからかもしれません。既存のメッセージを受け
取った対照群の参加率によって効果を見ることができなけれ
ば，参加率の向上が介入に起因しているかどうかはわからない
のです。もちろん，どちらのグループにおいても個々がもって
いる事情は異なるため，RCTの三つ目の特徴である**無作為割
り当て**を行います。

　無作為割り当てとは，人々を無作為に対照群か介入群のいず
れかに分けることを意味します。この手順を無作為に行うこと
で，それぞれの介入を受けるどのグループも同様の特徴をもっ
ており，同じ介入が施されれば同様の行動をすることが見込め
ます。たとえば，イベントへの参加のケースでは，ありとあら
ゆる要因（たとえば，バスの運賃が払えるか，ほかに予定がで
きる可能性，スケジュールを管理する能力，時間を使ってイベ
ントへ参加する価値があるかという判断）が参加するかしない
かに影響し，この条件はそれぞれのグループで同じです。つま
り，このうちの一つのグループに介入が実行され，変化が見ら
れたときには，その変更はほかの要因よりもその介入に起因す

ると考えられます。

　単純なように聞こえますが，無作為に割り当てるのは驚く
ほど難しいため，可能な限りコンピューターのプログラムを
利用して行うよう推奨しています。広く使用されているマイ
クロソフト社のエクセルにも簡単に無作為割り当てができる
randbetween関数機能があります。コンピューターを使った
無作為割り当てができない場合には，十分に注意しなければな
りません。「無作為」に見える方法でもバイアスが隠れている
ことが多々あります。たとえば，イギリスでは通りの片方に奇
数の家屋番号が並び，通りの反対側には偶数の家屋番号が並ん
でいる場合が多くあります。産業革命の最中，多くの都市では
工場からの大気汚染によって，通りのどちらに位置しているか
で家屋の価値が異なりました。つまり，風向きによって奇数番
号のついた家屋と，偶数番号のついた家屋では系統的に異なる
と考えられていたのです。よって，このような評価を行う際に
は，実際に行ってきたそれぞれのステップ，想定，分析的選択
をすべて記録しておくことが重要です。そうすることにより，
陥りやすい危険を回避でき，データを入手したときにも調査す
る人のバイアスが入らずに分析を行えます。どんな分析を行う
かを事前に特定しておくことで，拡大解釈にかかわる危険も最
小化できます（第5章でさらに詳しく触れます）。

　図12（134ページ）は，ベッドフォードで行う実験の評価計
画を表したものです。

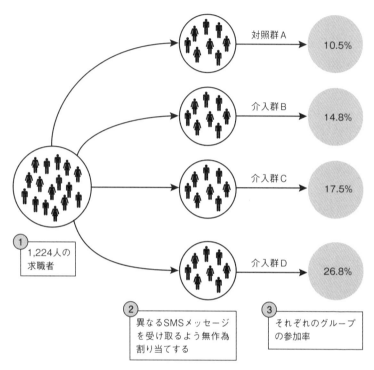

図12

　このケースでは，求職者を無作為に割り当て，四つのメッセージのうち一つを送りました。しかし，このやり方が正しくない場合もあります。たとえば，昇進のチャンスについてのメッセージを同じスーパーマーケットで働く人たちに送ると考えてみてください。結果は同じく求人イベントに参加するかしないかのどちらかですが，違うのはイベントが自分たちの職場で行

われるという部分です。個人レベルでの無作為化は，可能です
が危険でもあります。もし働いている人の電話が同時に鳴り，
その人たちがお互いに受信したメッセージを比べ始めたとしま
す。「あなたの席を用意してあります」という文言のないメッ
セージを受け取った人は意欲がそがれてしまうかもしれませ
ん。反対に，「あなたの席を用意してあります」と書かれてい
た人は昇進できるチャンスが人より大きいと期待してしまうか
もしれません。このような感じ方の違いは，参加するかしない
かを左右します。つまり，意欲のそがれた人が参加する可能性
は低く，期待の高まった人が参加する可能性は高くなります。
このように介入の波及が起きると，個々のメッセージがもつ真
の効果を区別できなくなってしまいます。一方，この試験が地
域や国家レベルのプログラムであり，店舗ごとや勤務時間ごと
に働いている人たちが無作為割り当てされているのであれば，
そのやり方は堅実であるといえます。そうすれば，受け取った
メッセージをほかの人と比べることがあったとしても，内容は
同一であり，波及のリスクは軽減されます。このアプローチは
クラスター・ランダム試験と呼ばれます。当然，サンプルサイ
ズもかかわってきます。この場合，クラスター・ランダム試験
で用いる計算方法は通常の試験とは異なりますが，結論を導く
にはいくつの店舗あるいはシフトがサンプルとして必要である
かを計算しなくてはいけません。

　最後に，RCT により真の効果が見られた範囲を推定するこ

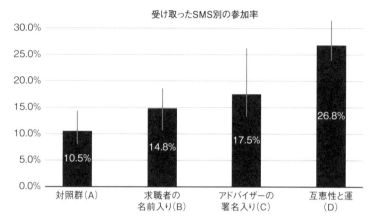

図13

とができますが，その際には単にどの介入に効果があったかを知るだけではなく，それぞれにどれだけのインパクトがあったかを正確に推定することもできます。図13に描かれた黒の棒は，ベッドフォードの試験での，それぞれのテキスト・メッセージが与えたインパクトの範囲を示しています。

インパクトの大きさを測ることは，特に限られた予算しかない政策立案者，あるいは配当金を払う株主をもつ企業にとって有用です。なぜなら，最良の見返りが得られるアプローチを選ぶ必要があるからです。たとえば，メッセージDが一番よい結果が出たと結論づけられるだけでなく，実験期間中に46～53人多い求職者が求人イベントに参加した，ということがわ

かります。サンプルサイズが十分に大きければ，何がどの人に効果を発揮したかを知ることができ，その結果としてわかった違いや格差に注目することができます（詳しくは第5章で触れます）。たとえば，失業に関していえば，このメッセージの効果は男女間で異なるのか，どんな技能に特化した求人がほかよりも参加者を集めやすいのかなどに着目できるでしょう。

　ここで，ステップ1で設定した目標を振り返ってみましょう。目標は参加者を50%増加させることでした。小さい介入でも，結果として150%以上も参加者を増やすことができました。しかし73%の人は不参加を選んだので，さらによい方法はあるはずです。ただ統計と方策，どちらの面からも大きく改善することができた例だといえます。

　ステップ9の結果：無作為化対照試験を使って介入を評価しました。結果として，最も効果的であったメッセージは求人イベントにこれまでの2倍以上の参加者を呼んだことがわかりました。

ステップ10：結果に基づいてさらなる措置をとる

　行った介入に効果があった，なかった，もしくは裏目に出てしまったとしても，介入がもつ完全な可能性を得るために，おそらく次の措置をとらなければならないでしょう。残念なことに，このステップは多くの人が想像するよりも難しい場合があります。結局のところ，物事を新しいやり方で行うことは，そ

れ自体に行動の難しさがあるのです。つまり，ある介入に効果が見られたからといって，通常の業務としてすぐに取り入れられるわけではありません。また，効果がなかったからといって，運用を開始するという計画が自動的に巻き戻されるわけではありません。これには正当な理由があることもあります。たとえば，ある地域では効果が見られた介入が，ほかの場所では効果を発揮しない場合があるとします。そのため，国家レベルで介入を導入する前にさらにテストを行う必要が出てきます。しかし，物事は単に初めに設定された通り，変更せずに行われる結果となることもあります。

このメッセージについての実験のケースでは，SMS システムを用いて国がこれまで使用していた既存のメッセージの構造を入れ替えることができました。つまり，ボタンを押すだけで，この解決策はイギリス全土の職業安定所に共有することができます。ステップ7で行ったように，これは設計にかかわる点です。つまり，一つの職業安定所で働くある職員が，イギリス全土でたった一人，標準的な業務に熟考した変化を加えたとしても，介入の効果は測れません。ですが，デフォルトのメッセージを新しく，より効果的に変更したものと入れ替えれば，職員が行動を変える必要はありません。

もちろん，求人イベントへの参加率の向上は比較的小さい変化です。ステップ1で述べたように，求職者一人ひとりの雇用される見込みを改善するためにできる方法もたくさんありま

す。予算に余裕があれば，このように一つの領域で成功した場合，ほかの行動や問題を振り返ってみる価値があります。すでに述べたように，本章で使用したアプローチは，職業安定所で行う業務を根本的に設計し直すためにも使われました。2012〜2013年には，この分類においてBITが考案した介入を用いたことで，何も介入を行わなかった場合よりも失業者手当てが1.5日早く支払われるという効果を生みました。小さな変化のように聞こえるかもしれませんが，この効果が生んだ経済的利益は大きく，この実験だけでも失業者88,000人以上に便益がもたらされました。

　考案された解決策は3カ月を費やして，職業安定所の利用者が感じたこと，利用者が必然的に通らなければいけない手順，失業という経験についてのエビデンス，実際の手順についての感じ方に基づいて調査されました。その結果，ペーパーワークを短く簡素化する，求職者の生活スタイルや習慣に合わせた計画を練る，過去の適合性よりも未来への希望に目を向けてミーティングを行う，求職者のやる気を向上させるなどの新しい手順が導入されました。

　この介入を実行するには，職員やマネージャーがしっかりと理解しなければ成り立たないため，ただSMSの書式を入れ替えるのとは大きく異なります。6カ月かけてまず訓練者の訓練を行い，簡単に利用できるよう一連の手続きの動画を作成し，イギリス全土の700カ所にもおよぶ職業安定所に，新しい資

料をどのように配付するかを工夫しました。現在では，イギリスにあるすべての職業安定所で，この手順が浸透しています。

ステップ10の結果：最もよい結果を生んだメッセージは，国家のテキストシステムの新たなデフォルトSMS書式として使われるようになりました。

行動インサイトのアプローチは，性別による賃金の格差問題，雇用バイアスの軽減，病気などの理由による休職からの迅速な職場復帰などの領域でも雇用政策に取り組んできました。本書で見せたように，これらの政策領域を超えて，行動インサイトのアプローチが適用される問題に限りはありません。もちろん，このように広い適用可能性をもつということは，当然のごとく制限，批判，考慮すべき事項を伴うことに注意しなくてはなりません。第5章ではこのトピックについて考察します。

第5章

行動インサイトへの評価，意見，そして限界について

　ここまで，行動インサイトのアプローチを使って実現可能なこと，不可能なことを詳しく解説してきました。短い紹介文のなかではすべてを評価しきれませんが，本章では行動インサイトという分野への評価，意見そして限界について，より深く掘り下げていきます。

　本章は三部構成です。第一部「行動インサイトはどの程度実用できるのか」では，行動インサイトのアプローチが実際に成し遂げた成果に対する評価を検討します。具体的には，行動インサイトは限られた方法でしか使用できないのか，その効果は長く続くのか，想定外の結果はどれくらい生じているのかという疑問を調査します。第二部「理論やエビデンスは十分頑健か」では，エビデンスをもとにしたアプローチがもつ一貫性，信頼性，一般化可能性[*1]に着目します。特に，心理学におけるエビデンスの構造安定性についての疑念，また，行動を語るうえ

で欧米の大学の研究者たちが収集したインサイトや，研究室から導き出された結果が実社会でも文化の壁を越えて通用するのかを調査します。第三部「行動インサイトのアプローチは倫理的で許容できるか」では，行動インサイトの受容性について検証していきます。検証は，倫理的観点および実際に「ナッジ」されたり，行動インサイトのアプローチを経験したりするかもしれない一般の人の意見をもとに行います。本章全体の要点は，行動インサイトはあらゆる問題に対応できるオールマイティな解決策ではなく，その効力と問題について現実的な認識をもつことが重要だ，ということです。

行動インサイトはどの程度実用できるのか

　本項で取り上げるのは，行動インサイトのアプローチが成し遂げた結果に対しての評価です。まず，このアプローチがどれほど広い範囲に実用可能であるかを考察します。そして想定外の結果，アプローチの効果は長期間持続するのか，また規模を拡大しても同じ効果が見込めるのかについても調査します。

● ハイレベルな政策への限られたインパクト

　前述したように，行動インサイトは対象部分に戦術的に的を絞って使われる場合と，行政における政策改革など，広範囲の

---

*1　一般化可能性：社会科学において，あるサンプルから得られたテストの測定結果が，母集団全体に対してどの程度適用できるかを示す指標のこと。

変化を生むために戦略的に使われる場合があります。しかし，行政と企業のいずれにおいても，政策や方策のちょっとした部分を戦術的レベルで微調整しているだけで，問題の根本的な解決には取り組んでいないのではないかという批判を生むことがあります。さらに，ナッジを取り入れることで，ナッジ以外のより影響力の強い政策手段への支持が軽減してしまう，と踏み込んだ批判をする人もいます。ある研究では，住宅所有者が再生可能エネルギープランを選択するように，ナッジによってデフォルトにされていることがわかると，炭素税への支持が低くなったことが示されています。しかし，私たちの知る限り，人はナッジをそのように捉えてはいません。人々は，ナッジはほかのアプローチを（代替というより）補う，あるいは行動インサイトは標準的な政策オプションを強化すると理解しています。研究により，人はほかのアプローチと比較した際、ナッジによる効果がより小さいことを知ると，クラウディングアウト効果[2]が除かれるという結果も示されています。

　それでもなお，何が行動インサイトをより戦略的に使うことに対する障壁となっているのかを理解することが重要と考えます。まず，ナッジが知られるようになると，多くの人がナッジだけが行動科学を応用した主たる，そして唯一の方法だと勘違いするようになったことが挙げられます。ナッジに注目が集ま

---

[2]　クラウディングアウト効果：外的要因に影響を受けていることを自覚すると，動機が損なわれる現象。

るあまり，行動科学は幅広く物事を変えられるという誤解をしばしば招いてきましたが，この認識もゆっくりと変わりつつあります。次に，対象を絞った介入はすばやく伝わり，介入のインパクトをそのまま直接的に与える場合が多いことです。つまり，ここを変更したことで，直接的な効果が出ました，と説明がつくのです。一方，ハイレベルな政策立案の場面では，さまざまな人物，政治的手段，機会などがかかわったデリケートな決定プロセスのストーリーがあり，その内実の多くは極秘です。第4章ではシンプルな戦術的アプローチの実例を挙げましたが，このほかにはないような自己増強的*3なストーリーを与えています。最後に挙げる障壁の要因は，行動インサイトがエビデンスに基づいた技術的なアプローチであることです。一方、政策立案の指揮段階はまとまりがなく，不安定であり，ほかの要因にもぐらつきがあるため，このようなアプローチを導入するのに困難な場合があります。要点をまとめると，行動インサイトを導入すること自体に行動の難しさがあるということです。これについては最終章で再度考察します。

● 測定の問題

　行動は複雑です。場合によってはある一つの行動の変化が，人が一貫性を維持するためにほかの行動を変化することにつな

---

*3　自己増強的：実施とその結果に基づいて繰り返されるようなこと。

がることがあります。また，逆の場合もあります。ある行動を
変えてから，ほかの行動に別の方向で働きかけることでつり合
いをとるという場面もあり得ます。たとえば，定年後のための
自動加入貯蓄のメカニズムは，習慣の力を利用しており，効果
的であることはすでに述べました。しかし，習慣の力を利用し
ているため，デフォルトの毎月の貯蓄額には注意しなければな
りません。低く設定しすぎると十分な蓄えが得られないにもか
かわらず，労働者が退職後は安泰であると間違った認識をして
しまう可能性があるかもしれません。また高く設定しすぎると
支払う余裕がなくなる，あるいは少額のローンを組まないと払
いきれず，貯蓄のための借り入れをしないといけなくなる場合
があるかもしれません。

　政府が特定の行動を対象にして政策を設計したところ，思い
がけずもっと大きな問題をはらむ別の行動を引き起こしてしま
った例は多くあります。行動インサイトのアプローチでは安
定した評価方法，特にRCTを使うことが強調されているため，
こういった場面では特に脆弱であるかもしれません。これらの
アプローチにおける測定方法は基本的に，具体的な結果を事前
に想定してから測定します。しかし，この正確さゆえ，柔軟性
がなく目先のことしか測れない危険性もあります。先ほど例示
したように，定年後のための貯蓄の定期支払額ばかり気にして
いては，借り入れをしなくてはいけなくなるなどの別の問題が
生じてしまいます。最終章では，このような問題に対処するた

めに，行動インサイトはさまざまな事象がより複雑に絡み合う
環境でも適応できるような思考法を利用するべきであるという
点を考察します。

　もう一つの測定の問題は，行動インサイトが介入の全体的な
効果ばかりに注目して，グループ間の結果の違いを理解するこ
とをおろそかにすることがある点です。全体的な結果は望まし
かったとしても，グループによっては介入があまり効果を発揮
していなかった可能性もあります。たとえばアメリカでは，電
力使用量を近隣の世帯と比較できるようにするため，各家庭が
電力使用量報告を受け取れるようにしたところ，国全体での電
力消費量が2.1％削減されました。しかし，中道左派の政治的
見解と同じ見解をもつ人が多く集まる地域に住み，再生可能エ
ネルギーを購入し，環境問題に対して寄付を行っている人は
3.6％削減しているのに対し，その政治的見解に反対している
（中道右派で，再生可能エネルギーの購入や寄付をしていない）
人は削減率が1.1％でした。

　介入によって不均衡を拡大させないために特に重要なのは，
社会的弱者のグループがどう反応したかに着目することです。
とはいえ，一見したところ，行動インサイトのアプローチの仕方
にも不均衡を減らせそうな要因がいくつかありそうです。従来
のアプローチでは，情報を提供することで人々の考え方や信念
を変えて，行動に影響を与えようとしていました。つまり，熟慮
システム*4を利用したやり方です。しかし，比較的教養のある人

は情報を求めて熟慮システムを利用しようとする傾向があるため，ここで不均衡が拡大する可能性があります。一方，主に自動システムに働きかける介入は，関連のある情報を求めようとしない人にも影響を与えます。たとえば，イギリスの自動年金加入制度に最も恩恵を受けているのは，介入が導入される前には年金加入率が最も低かった人々です。反対に，もし介入が意図的に悪用されたり，損害を生じさせるために利用されたりすれば，年金加入率が最も低かった人たちのグループが最も被害を受けることになるでしょう（倫理を検討する項で再検討します）。

● 持続時間と習慣化

　介入の効果を確信していても，その効果がどのくらい持続するのか，そしてもし同じ人が同じ介入に再度晒された場合，同じ結果を生むのかを考慮しなくてはなりません。批評家は，行動インサイトの効果は介入導入後に持続しない，あるいは一度しか効果がない，もしくはその両方であると指摘しています。行動インサイトは比較的新しい分野であるため，繰り返し利用されることで介入のインパクトが弱まるのではないかと懸念されているのです。このような減衰が起こりうる理由はいくつかあります。たとえば，初めて導入される介入は目新しく，これからしようとしている行為による利益が約束されているため，

---

*4　熟慮システム：人間の脳は，直感で判断する「自動システム」と，論理的に判断を下す「熟慮システム」，この二つで情報を処理しているといわれており，この考え方を「二重過程理論」と呼ぶ。

効果があります。実際に、消費者に電力使用量報告を提供する介入から得られる効果を長期にわたって調べたところ、介入によって消費量は減りましたが、回を重ねるごとに介入のインパクトが比較的小さくなっていることがわかりました。

このような減衰は一つの調査で計測することができますが、行動インサイトのアプローチへの支持が高まるにつれ、広い範囲の懸念も生じてきました。人、タイミング、問題の異なる類似の介入に、同じ人が同時に晒される可能性もあるからです。たとえば、「10人中9人は税金を期限内に納めた」という社会的ノルマの達成を伝えるメッセージの効果は、複数の研究論文で示されています。しかし、このようなメッセージが公共交通機関、化粧品の選択、あるいは運動療法などありとあらゆる場面で使用されるようになったらどうなるでしょう。このようなメッセージが広く、統一性をもたずに乱用されたとしたら、人々の目には留まらなくなるのではないでしょうか。

実際に介入の効果は弱くなるものもあれば、ならないものもあります。そして、なぜそうなるのかまだ完全には解明されていません。ですが、行動インサイトが効果を保って変化を持続的に生み出せるようにするための提案はできます。それは、これからお伝えする三つのやり方を重複して用いることです。一つ目は、効果が長期にわたって続く1回だけで済む選択をする（たとえば、効果が長期にわたって持続する避妊方法を選べば、その都度能動的に避妊をする必要がなくなる）ことです。二つ

目は，選択アーキテクチャや，ある行動を継続的かつ繰り返し促す環境（たとえば，地下鉄のホームを再設計することで人々の自動的な反応に作用して，ある一定方向へ人々を導く）に変化を加えることです。三つ目は，行動を引き起こす外的要因が内発化されて，個々のもつモチベーションや考え方がその外的要因と整合的になり得る場合です。内発化は，一度あるいは繰り返される誘発によって起こる可能性があります。たとえば，選挙を例に挙げてみましょう。1回の誘発で生じた，投票するという行動は持続するということが，エビデンスによって裏づけられています。つまり，二度誘発しなくても，その人たちは次の選挙へも足を運ぶ可能性が高く，一度の投票でも習慣化しうるということです。一度，投票所に足を運ぶと内在するモチベーションが確立されて，次回の民主的活動への参加を妨げるものを乗り越えられるようになるのです。これらの作用は，重なったりほかと組み合わされたりして，変化を持続させることができます。たとえば，スポーツジムを使った金銭的インセンティブの研究を行い，それによりわかったことは，1回の報酬ではスポーツジムを継続して利用しようという十分な意欲は生まれませんでしたが，8回利用することでインセンティブが与えられた場合にはジムに継続して通うという効果が生まれ，金銭的インセンティブが除かれた後でもその行動が持続したことです。このケースでは，行動が内発化し，持続できるくらいの耐久性をもつまで十分に長く外的誘発（報酬）が固定されてい

149

たため，その誘発がなくても効果が持続しました。

　当然，これら三つの作用をもってしても，必ず行動が長続きするとは保証できません。たとえば，ケイティ・ミルクマンらは最近の研究で，「**テンプテーション・バンドリング**」について調査しました。テンプテーション・バンドリングとは，日常のつまらないこと，あるいはやりたくないことに魅力的な行為を結びつけることでモチベーションを高めることをいいます。この介入では，学生たちにスポーツジムへ行けば『ハンガー・ゲーム』(2008年，邦訳：2009年，メディアファクトリー)のオーディオブックが聴けるという条件をつけました。この条件は短期間で効果を表し，ジムの利用率が上がりました。しかし，感謝祭の祝日をはさむと，学生のジムの利用率は元に戻ってしまいました。つまり，この介入は祝日という妨害に耐えることができなかったのです。この例は，行動インサイトのアプローチが，行動を取り囲む要因の重要性を強調しているという，さらに広い結論を提示していると考えられます。つまり，内発化だけに頼るのは十分ではなく，将来的な状況や環境に基づいた誘発を組み入れることができれば，効果を持続させる可能性があります。

● 大規模な適用への耐用性

　最初に行った実験で望ましい結果が出た場合，介入の適用範囲を拡大して，同じように効果が得られるかどうかをもう一度

テストするのが理想的です。規模を拡大しても効果を保っている介入例もあれば，適用範囲が小さいときには見られた効果が見られず介入の影響力が小さくなった例もあります。たとえば，アメリカで80万人の進学準備をしている高校生を対象に，政府による学資援助を利用するように勧めるキャンペーンを行った研究論文が最近発表されました。この大規模な実験では，さまざまなタイプのメッセージが用いられ，そのうちのいくつかのメッセージは過去に行われた特定地域での研究で効果があることが実証されていたものでした。しかし，これらのメッセージはいずれも学資援助の利用や進学を促す効果は発揮されませんでした。

　なぜ規模を大きくした場合に効果が持続できなかったのか，この調査を行った研究者たちが的を射た見解を述べています。まず前提として，最初に行った調査結果が正確であったとします。この研究者たちは，最初にテストを行ったときに推測されたよりも実際にはもっと強い効果を発揮するような特徴が，狭い地域レベルで行ったキャンペーンにはあったのではないかと仮説を立てました。たとえば，学生たちは地元の組織から受け取ったメッセージに，より親近感を覚えたのかもしれませんし，アメリカ全土で行われているキャンペーンの一環でなく地域レベルのほうがメッセージを身近に感じたのかもしれません。あるいは，あるメッセージを受け取った学生のグループが単に学資援助という選択肢についてより詳細な情報を得られたから，

という理由も考えられます。明確な理由は不明ですが，要点は明らかです。つまり，規模によって介入の効果は異なる可能性があるため，最初に行った介入の特徴をよく理解して結果を想定することが重要なのです。

　ここで行動インサイトのアプローチが示している教訓は二つあります。一つ目に，アプローチの詳細が効果に影響することもあるため，関連する事がらに小さい変更があったとしても大きく結果を左右することに留意しなくてはいけないということ。二つ目は，規模を拡大する行為自体が課題になりうるということです。ジョブセンターでの実例では規模拡大の仕方が厳密にコントロールされていました。そのため，規模拡大によって介入の関係者が新たに登場しても，それが結果に与える影響は限定的なものでした。しかし多くの場合，規模を拡大したときに得られる結果は，最初の研究でかかわらなかった関係者の行動に依存することがほとんどです。彼らの行動によって結果の変化が成功を妨げるか必要な変更を示しているのかがわかります。最終章では，介入のどの要素を保持し，どの介入には変更の余地があるかを見定める定性的な方法について考察します。

理論やエビデンスは十分頑健か

　ここまで，行動インサイトの実用的性質について強調してきました。本項では，この実用性に犠牲が伴うのか検証します。

具体的には，まとまった理論的基盤の欠如は，過去から学び，進歩し，革新する我々の能力を妨害するのかを考えます。エビデンスに基づくやり方に関連した，受け入れ難い真実にも向き合わなければなりません。画期的な発見の多く（特に社会心理学の分野に多いが，ほかの分野も幅広く含まれる）に見られる，再度テストを行ったときに同じ結果が得られない，「**再現性の危機**」という現象について調べます。また，均一で代表性のないサンプルを使った研究を信頼する意味合いについても考えます。最終的に，今後行われる研究の信頼性を守り，テストする仮説を不安定な理論的基盤のうえに立てないよう，気をつけるべき点についても考察していきます。

● 理論は不完全あるいは単純化されすぎているか

　まず，行動インサイトのアプローチがもつ想定や理論の根底にある批判を見ていきましょう。このような批判のなかには，まとまった理論やきちんとした分類をもつことを重んじた，教室や研究室のような学術的環境に留めておくべき難解なものもあります。しかし，我々がどのように問題を診断し，対処する方法を考案しているのかという，より直接的な意味合いをもった批判もあります。

　初めに取り上げるのは，行動インサイトのアプローチは，バイアスや合理的選択理論からの逸脱を特定することにこだわりすぎているという批評です。つまり行動インサイトは，何が「誤

り」なのか，また，何がヒューリスティックな思考の有用性を無視した「非合理性」を構成しているかという，単純すぎる視点をもっているというのです。人は「合理的」な計算よりも賢明な判断のショートカットを使ったほうが複雑な世界によりよく対処することができるという考えの下，ヒューリスティックな思考がもつ順応性のある性質や適合性を好んで強調する人もいます。その結果，彼らはヒューリスティックを発展させたり教えたりすることが，複雑な物事を対処するのによい方法であると主張し，そのようなアプローチは「ナッジ」に対する語として「ブースト*5」と名づけられました。これらの批評がたとえばダニエル・カーネマンやリチャード・セイラーの説く二重過程理論から外れているとしても，全体的にこれらの理論には互換性があり，基本的には行動科学を適用することの主目的を変えてはいません。ヒューリスティックが役に立つ場合もあれば，役に立たない場合もあります。実際にはこれらの視点が矛盾しているということはなく，より有益な部分は統合されていきます。

　同じような批評には，行動インサイトのアプローチは個人に焦点を当てすぎていると指摘するものもあります。これはミクロ経済学に起因し，行動インサイトが確立された慣行やネットワークに組み込まれた社会の一部としての人々ではなく，意思

---

*5　ブースト：促進する。

決定をする個人としての認知的な弱点ばかりに着目しているという批評です。つまり，「社会という尺度での理解が浅い」ため，文化や社会については多くを語れないという意味合いです。では，状況や環境が行動に影響することを重要視している点についてはどうでしょうか。これに対し，批評家は「環境」というのはあまりにも心理学的な観点であり，「身近で，物理的で，技術的な側面」だけに注目していて，組織的，経済的，政治的な力による構造的な要因を無視していると答えました。我々は，このような批評は行動インサイトにおける社会心理学からの影響を軽視していると考えます。しかし，全体的には説得力があるともいえます。この問題については最終章でまた考察することにしましょう。

　二重過程理論の枠組みを疑問視しなかったとしても，そこに制限的な欠点はあるかもしれません。二重過程理論は，個人のもつ「バイアス」に対し，あらゆる状況に対応できる高いレベルでの説明ができます。しかし，いつ，だれに対してこのようなバイアスが発生するのかは説明できません。それぞれのバイアスには発生した理由を示すエビデンスがあるかもしれませんが，バイアスが相互にかかわり合う部分の説明がなくては，全体像は見えてきません。いろいろなバイアスをそれぞれ独立した概念ではなく二重過程理論の下で統合する必要があります。このような枠組みの欠如が，結果が驚くべきものであったか，想定内であったかを決めることを難しくしています。そのため

の再現性やさらなる検証を優先する傾向は，個々の研究者が自分の直感をえり好みをするという現状を打破できるかもしれません。これにより我々は，介入結果への予想を検証したり，先行研究の結果に基づいて今後の研究を方向づけていったりすることができるようになります。

　突き詰めれば，我々がもつ理論には十分に進歩や発展を促す力があるということが重要です。行動インサイトを適用したいなら，現在起きている（あるいは，起きていない）行動をとりまく状況を理解することが重要です。ですから，人間の行動についての統合的な概念は効果的な解決法を展開するための必要条件でも十分条件でもありません。結局のところ，得られた結果から理解をすればよいのです。つまり，我々は実証できるくらい行動インサイトをうまく適用するために十分な知識をもっていればよいというだけの話ですが，果たして我々は行動インサイトを適用するに値する知識を本当にもっているのでしょうか。

● 悪い科学：再現性の危機

　2005 年，ジョン・ヨアニディスは「なぜ発表された研究結果のほとんどが嘘であるのか」という衝撃的な論文を発表しました。これは，「ほとんどの研究デザインや設定は，真実ではなく嘘である傾向にある」というデータを紹介した論文です。この直感に反した結論は，科学的論文に共通する四つの特徴に起因していると記されています。

1. **インセンティブとお蔵入り効果**

   学術誌は，通常新しい仮説や，それを裏づけるエビデンスを提案している研究から得られたおもしろい結果の掲載を好みます。新たな理論を証明できなかった（専門用語では「**帰無仮説を棄却できなかった**」という）論文は注目されません。学者たちの経歴は論文によって箔がつきます。ですから，編集者の注目を引くような研究に対して，労力を注ぎ込むインセンティブがはたらくのです。よって，それに該当しない原稿は，「引き出しのなかに」置き去りにされてお蔵入りになるのです。

2. 仮説をテストする標準的な想定

   従来の統計的な慣例では，偽陽性の可能性を5％に設定します。陽性の結果[6]が受け入れられやすいという出版バイアスがあると仮定すると，査読された学術誌の記事に偽陽性の結果[7]が多くなるでしょう。もし20人の研究者が同様の実験を行ったとして，そのうちの一人の研究が陽性の結果を出せば，その結果だけが出版されるチャンスをもつことを意味します。一つの結果は公表され，ほか19件の実験結果はお蔵入りとなるのです。研究者は他者が公表した論文に関連するトピックを研究する傾向があるので，多くの科学者が根拠のない理論を追求している可能性もあ

---

[6] 陽性の結果：先行研究と異なる新しい仮説が正しいということ。
[7] 偽陽性の結果：新しい仮説が実は正しくないのに正しいと判定された結果。

ります。

3. 悪い研究方法

小さいサンプルサイズ，多すぎる結果の計測，多数の方法
で研究を行うと，実在しない結果を生むことになりかねま
せん。サンプルサイズが小さいと，偶然得られた結果を誤
って実際の効果としてしまう可能性があるため問題です。
複数の結果の計測あるいは結果の差異が多すぎる場合，前
述した統計的仮定のため，偽陽性を招く恐れがあります。
もし，ある一つの実験において20通りの結果が計測され
たら，完全なる偶然で一度だけ陽性の結果が出てしまう場
合があるかもしれません。20通りの結果を測定する研究
はほとんどありませんが，5通りの結果を測定するだけで
も偽陽性の出る確率[8]が5％から25％に上がってしまい
ます。歴史をたどれば，小さいサンプルサイズの研究や，
報告する結果をえり好みしているような研究は，思いのほ
か名高い学術誌に多く掲載されているはずです。

4. 発覚

このような研究方法は極めて一般的であるものの，ここ
10年ほどでよりまれで，もっとひどい不正行為が暴かれ
るようになってきました。なかには，完全にデータを改ざ

---

[8] 偽陽性の出る確率：厳密には五つの「新しい仮説が正しくない」場合に独立した5回の検定をしたら，5
回すべてで「正しくない」と判定されるのが$(1-0.05)^5 \fallingdotseq 0.774$で77.4％。したがって一つでも「仮説が
正しくないのに正しいと誤判定する偽陽性」が起きるのは$100-77.4=22.6$％ 。これを多重性と呼ぶ。
なお，「多重比較」を用いることで有意水準を変えずに検定を行うことができる。

んして逮捕された研究者もいます。稀なケースなのでここ
で掘り下げることはしませんが，めったに起こらないにし
ても，不正行為は深刻な要因の一つです。

　ヨアニディスやほかの批評家は，心理学を含む幅広い分野に
おいて先行研究の結果を徹底的に調べるというムーブメントを
(本格化するまで5年かかりましたが)起こしました。この試
みの一つが，再現性検証プロジェクトです。学術的共同研究の
成功の下,センター・フォー・オープンサイエンスのブライアン・
ノセク率いる270人の研究者が，2008年に公表された100本
の心理学研究の結果を追試し，再現を試みました。もとにし
た100本の研究のうち，97本は有意に再現性が見られました。
実験は従来の方法で，20%の偽陰性*9リスクと5%の偽陽性
リスクを許容するよう設計されて行われました。そのため，も
との実験97本のうち5本程度は偽陽性のために再現され，再
現性検証結果のうち19本程度は偽陰性のために再現に失敗し
ていると考えられます。言い換えれば，もとの実験の約75%
に追試での再現性が認められれば，この分野における研究の信
頼性に疑いをもつ必要などないのです。
　しかし，これで終わりではありません。実際に2015年に報
告された再現性検証プロジェクトでは，実験の36%しか再現

---

*9　偽陰性：新しい仮説が正しいのに正しくないとしてしまうこと。

性が認められませんでした。加えて，もとの報告よりも効果が小さかった研究が多くありました。この結果を寛大に解釈するとすれば，ありのままに再現することは不可能なため，いくつかの実験結果は異なった形で現れたとも考えられます。なぜなら，実験をした状況や被験者など，もとのテストとまったく同一の条件をつくり出すことはできないからです。しかし，再現性があったと認められる範囲を模倣可能性であると考え，プロトコルでどのように再現されたかは説得力をもって詳説しています。そのため，この説明の筋が通るとしても，説明のつく研究は研究のうちのほんの一握りにすぎない可能性があります。

　再現性が認められなかった研究はこれだけではありません。ほかの学術的分野の研究でも，二度，三度，四度と追試を重ねても最初の結果を再現できなかったケースもあります。そのなかには，莫大な調査時間と費用をかけて行った画期的な研究も含まれています。これらに該当する課題は，まとめて「再現性の危機」と呼ばれるようになりました。これは，社会科学の研究の発展が深刻な批判的反応に直面した節目と考えられます。しかし，論文に隠されたバイアスを修正するために何をしたか，そして行動インサイトのアプローチを実行する者としてこの報いをどう乗り越えたのかについて言及する前に，我々は心理学研究の信頼性を脅かすもう一つの要因について知っておかなくてはなりません。それは一般化可能性です。

● WEIRD科学：一般化可能性の問題

　ここまで，いかなる実験においても，確実に因果関係を示せる方法がどれくらい使われているかという「**内的妥当性**」の概念を検証してきました。しかし，もとのサンプル以外を対象にしても，どれくらい結果が変わらずにいられるかという「**外的妥当性**」についてはまだ触れていません。実際，基礎的な行動科学の研究にはかなりの制約があります。多くの代表的研究が不均衡に欧米人（Western），教養がある（Educated），工業化されている（Industrialized），豊かである（Rich），民主主義（Democratic）に該当する集団を対象として行われています。それぞれの特徴の頭文字を並べて，この対象集団はWEIRDと呼ばれます。

　WEIRDに該当する人々を研究対象とするのは，彼らが「人を一般化したときの，最小の代表集団」であるとみなしてしまうことになるため，問題があります。「**WEIRD試験対象集団**」は，視覚から道徳的論拠，リスク選好度，現在バイアスに至るまでさまざまな面で異なった行動をします。たとえば，一連の経済ゲームにおいてプレイヤーが見せる向社会的な行動[*10]の度合いを測る研究が，15の小規模社会において行われました。WEIRD集団と同等に，すべての社会で合理的選択理論に反する向社会的な行動がある程度示されました。しかし，各集団が

[*10] 向社会的な行動：他の人のためになるように意図された自発的な行動。

向社会的行動をとる度合いはかなり異なりました。そして，相違が個人差に起因しているのではなく，むしろ個々は経済組織や経済ゲームのなかで個々のもつ社会的相互関係の構造を決定要因として，各社会の規範に沿った行動をしていました。この発見により，暮らしている環境そのものが我々が判断を下す決定の根本に影響していることが明らかになりました。このことは，たとえあるバイアスが世界共通だったとしても，インサイトや介入をある設定からほかの設定へとそのまま移行するのは必ずしも可能ではないという論拠に重みを加えたのです。

　また，WEIRDのもつ欠点は，特に何が実際に計測されているのかという根本的な懸念を高めました。たとえば，最もよく知られている心理学実験の一つである「マシュマロ・テスト」を例に挙げてみましょう。この実験では子どもたちに，今マシュマロを一つ食べるか，今ここにあるマシュマロを食べずに15分間我慢して二つマシュマロを食べるかという選択肢が与えられます。この実験は自制心を計測する方法として長年用いられており，その特性はさまざまな良好な結果に関連すると考えられてきました。そして，ここで観察された自制能力は，対象となった子どもたちの数十年後の人生における差異を説明するものとして使われてきたのです。しかし，ご褒美をもらうことに慣れておりこれまでの経験から大人の言うことは信用できると知っている子どもたちと，マシュマロのおいしさを知らず，また大人たちから失望させられた経験をもつ大人への信頼度が低い

子どもたちとでは，選択肢の捉え方が異なるのではないでしょうか。後者の子どもにとっては，二つ目のマシュマロがもらえるという約束は意味をもちません。一つ目のマシュマロも早く食べてしまわなければ，失ってしまうというリスクを感じているかもしれません。もしそうであれば，この研究はまったく自制心を測定できていない可能性があります。最初に行われた研究ではサンプルサイズは少なく，サンプル集団がもつ属性も独特でした。サンプル集団となった90人の子どもたち全員はスタンフォード大学内の保育園に通っているため，教育に高額な金額を払える両親をもち，裕福な家庭で育った可能性が高いと考えられるでしょう。研究者がマシュマロ・テストを再度実施した際に対象となった900人の子どもたちは，アメリカの母集団をよりよく象徴しており，結果は大きく異なりました。子どもたちの育った背景に関係する要因が考慮されるようになると，二つ目のマシュマロを得ようとする忍耐力と，のちの人生によい結果をもたらすことと関係がないことがわかったのです。

　性格についての研究も，表明と計測の問題に影響されます。研究対象の大半をWEIRD集団が占める場合，「**ビッグファイブ**」の性格特性 —— 開放性，誠実性，外向性，協調性，神経症傾向 —— が，仕事の能力から死亡率まで，さまざまな結果の予測に用いられています。しかし，低〜中所得の国出身の94,000人の回答者を対象にした最近の研究では，広く使われている性格分析の質問は，意図した特性を計測できず，これら

の集団には有効ではないことが示されました。結果がこのように不安定であることから，性格を不変のものとする当初の想定を考え直さなくてはなりません。これらの想定は，研究室に浸透している WEIRD を対象として使う慣例に起因している可能性もあります。この分野において考えや経験の多様性が増したことで，根本的な性格の構成概念への視点が過剰に狭められるのを防げたのかもしれません。

　これらの発見は性格研究での豊富な集団や，最初に行われたマシュマロ・テストの有用性を否定しているわけではありません。むしろ，限られたサンプルの研究から得たインサイトがどの程度一般化できるのかを十分注意して疑問視しなくてはならないという警鐘を鳴らしてくれていると考えられます。

• エビデンスの危機に直面したらどうすればよいのか

　基盤がしっかりと安定していなければ，影響力のある介入をするのは困難です。過去に行った業務から理解した内容を修正しながら，今後行う研究の信頼性を確実にするための変化も起こさなくてはなりません。学術誌の多くは掲載されたいという根本的なインセンティブを変えようとしています。具体的には，「お蔵入りの引き出し」を開けて帰無仮説を棄却できなかった，あるいは明確に先行研究の再現を試みている研究を受け入れるようにしたのです。この変化に重点が置かれると，悪い研究方法が長い間継続して使われないように，目新しさよりも質が重

視されるようになりました。

　質のよい研究へ移行するために重要なのは，「事前登録」を重んじ，必須とすることです。事前登録は，結果分析を行う前に公表する予定のある研究について実施します。そうすることで，実績に基づいて結果が出る前に —— 理論と評価方法の両方を実証する目的で —— 研究を判断することができます。そのため，データが出るときに注目を浴びるような何かを研究者が生み出す能力も，そうする必要性もありません。いくつかの学術誌はさらに進んでおり，データが収集される前に仮説や方法の査読を行います。もし研究の基盤がしっかりとしていればどんな結論が出ようとも論文は受理されます。基盤に基づいて研究を評価するやり方はさらに精査を厳密にし，研究の質を高め，結果の信頼性を上げます。

　学問だけではなく，事前登録はどんな研究にも適したやり方です。面倒な手順も必要ありません。実際に，活動の関与 —— 何が，どう，なぜテストされるのかを明示しておくこと —— は，思考を明確にし，質を改善し，報告の分析を行う際にもそれらは維持されます。同様に，すでに公表された研究の実績を評価する際，信頼性の指標として公表内容のみを査定するべきではありません。いわば研究の消費者として，我々は批判的になって，結果の差異は統計学的に有意であるかという基本的な疑問よりも高度な部分に目を向けて，結果は信頼でき，有意義であるかという質を問う必要があります。査読者が提示

すると思われる疑問は次のようなものです。サンプルサイズは十分に大きいか。各グループは比較可能であるか。効果のサイズは同様の研究で見られたものと一貫性があるか。結果の報告にはすべてのデータが含まれているか。もし含まれていなければ，それはなぜか。結果の計測は公表されている通りに行われたか。このサイズの結果はこの研究を経験した人にとって有意味な方法で有益であるか。

　しかし，こういった質問をするのは，そうする能力やインセンティブがある人たちだけであることに，我々は気づきました。今まさに発展している最中の分野ということもあってか，行動インサイトのアプローチはこのような条件をまだつくり出していない可能性があり，ただ関連のある研究との表面上の関与に報いているだけであるという問題があります。この問題に関しては最終章で再度考察します。

行動インサイトのアプローチは倫理的で許容できるか

　本章の結びとして，このトピックを二つに分けて考察します。まず，行動を変えるために設計された介入を展開することの倫理的問題について考えます。そして，人々はこうした介入を許容できると考えているのかを調べます。ここでは，実験方法の倫理観については意図的に含めていません。これは（常に実験を行うわけではない）行動インサイトの範疇を超えており，以前に何度も述べられている問題だからです。

• 行動インサイトの使用は倫理的か

　行動インサイトは，人々を操るために使うこともできますし，総じて個人や社会の両方にとって最善の利益とならないように利用することもできます。これは理論上のリスクではありません。たとえば，顧客や利用者にとっての最善の利益や個人的な好みとは異なる決定を下すことを強いたり，だましたりする「**ダークパターン**」は広く使われています。約11,000件のウェブサイトを調査した最近の研究では，11％のサイトが日常的に「ダークパターン」を使用しており，これらのサイトはいつも検索エンジンで上位に表示されるよう設定されていたことがわかりました。たとえば，企業はしばしば利益のために抵抗という概念を利用し，サービスを利用するための登録は簡単にできるが，登録の解除は難しくなるような設定などをしています。このような有益となる行動を妨げる抵抗を導入する戦術は，悪いナッジとして「**スラッジ**[*11]」と呼ばれています。この類の批評は行政にも同じように見られ，政府もまたスラッジを利用することが可能です。たとえば，特定のグループの人たちが公共のサービスを利用するのを妨げるために，特にその人たちだけに手助けをせず，面倒な手続きを課すなどの行為をしていないかという研究が増えてきています。

　倫理的に問題がある使用方法の例をいくつか見てきたところ

[*11] スラッジ：直訳すると，汚泥。

行動インサイトは
人々を操るために
使うこともできます。
たとえば，顧客や利用者にとっての
最善の利益や個人的な好みとは
異なる決定を下すことを強いたり，
だましたりする「ダークパターン」は
広く使われています。

で，この懸念の中核にあるのは何かを見てみましょう。行動イ
ンサイトに対する倫理的観点からの批判はたくさんあります
が，要約すると二つに分けられるように感じます。まず一つ目
は，行動インサイトのアプローチはパターナリズム*12である
こと。二つ目は，人々を操作しようとするものであることです。
この二点についてこれから考察していきますが，この批判に対
して反論をすることが目的ではありません。代わりに，行動イ
ンサイトを信頼して使えるように導く基本的な枠組みを紹介す
ることで，この話題を締めくくります。

　パターナリズムである面を考察するにあたってまず，行動イ
ンサイトの導入によって生じた新たな問題とは何かを特定する
必要があります。危険なのは，パターナリズムに関する一般的
な懸念が行動インサイトについての懸念として表明される場合
です。これに当てはまる主な批判は，人の意思決定を「非合理」
あるいは「偏っている」とすることで，政府などによる是正措
置を正当化してしまうという内容です。たとえば行動経済学で
は，現在の自分（ケーキを食べたい）と未来の自分（健康でい
たい）の間で葛藤する矛盾した願望，つまり「内部性*13」とい
う概念を考えてきました。こういった理論やエビデンスは，現

---

*12 パターナリズム：強い立場の者が，弱い立場にある者の意志に関係なく利益をもたらそうとして介入すること。

*13 内部性：内部性 (internality) は標準的な経済学の概念である外部性 (externality) との類推である概念であり，外部性とは異なり同じ個人での異時点間での選好の違いによってもたらされる多くの場合負の影響である。将来の自分と現在の自分という二つのエージェントがある場合，現在の自分が不健康な行動をとることは将来の自分に負の内部性を与える，と考えることができる。

在の自分に負けてしまいがちな未来の自分を手助けする介入のための規範を与えます。そのような形で，どんな行動が望ましいか，そういう望ましい行動をとるにはどんなことをすればよいのかをもとにして，介入に使われる手段が決まることになります。

　ここで懸念されるのは，こういった視点から自分の行動すらも自身では決められない，という一般人を見下した視点をもつ，エリート主義で専門的なアプローチが生まれてしまうということです。行動科学から得たインサイトは選択アーキテクチャの設計者に，人が「本当に」望んでいるものは何か，そしてなぜ人は決まった行動をとるのかについての仮定を過信させすぎてしまったようです。人が好むものは，常に明確で，形を成していて，不変で，自分自身でさえ理解可能なわけではないのです。

　さらに厳しい批評家は「行動経済学自体がパターナリズムの論拠を弱めている」と主張しています。その理由は，自覚していないとしても，政策立案者たち自身も人がもっている同じバイアスの影響下にあるからだと述べます。人は意思決定をする際，確証バイアス，フレーミング効果，集団分極化[14]，偽の合意効果[15]などの影響を受けていることを示す研究は以前にも増して多く行われています。政策立案者であっても，間違うことはあり，彼らの考案する介入は正当化できない可能性もあ

---

[14]　集団分極化：集団で意思決定を行うと，一人で決定したときよりも結果が極端な方向に強くなる現象。
[15]　偽の合意効果：他人が自分と同じように考えていると思い込む傾向。

自覚していないとしても，
政策立案者たち自身も
人がもっている同じバイアスの
影響下にあります。

ります。言い換えれば，行動科学はどんなパターナリズム的な行為にもある致命的な欠陥を探り当てたのです。

　ここでまず留意すべき点は，パターナリズム批判は自分自身にとっての利益を増やし，害を減らす（たとえば，貯蓄を増やす，健康的な食事をする）ことを目的とした政策に向けられていることです。他者のとる行動に対して向けられている広範囲にわたる政府の措置（たとえば，犯罪を減らす）とはあまり関係がありません。自由民主主義は長きにわたって最初に挙げた種類の介入が，さらに物議を醸すものであることを見極めていました。二つ目に留意すべき点は，第1章で述べたように，行動インサイトというレンズは人の行動を変えることだけに向けられているわけではないという点です。政府がすでに行っている措置を再評価したり，誤った政策が導入されるのを防いだり，すでに見られる行動をヒントに政策を具体化したりする（最終章でさらに触れます）こともあります。行動インサイトのアプローチが行動に影響を及ぼすことが目標だったとしても，実際には『実践行動経済学』で強調されている禁止，制限，罰金などより厳しいパターナリズムに代わる選択肢で，より個人の自由を尊重するリバタリアン・パターナリズムに従っていることが多いのです。

　さらに一般的には，さまざまな批判はアプローチの中核を突いているのではなく，行動インサイトをどのように使うかという選択に向けられていると考えられます。「非合理性」という

「非合理性」という考え方は
行動インサイトの中心に
あるわけでもありませんし，
特に役立つという
わけでもありません。

考え方は行動インサイトの中心にあるわけでもありませんし，特に役立つというわけでもありません。ある状況下で何が「合理的か」を考える，狭く柔軟性に欠けた視点をもつのは，よい政策立案とはいえません。そうではなく，行動インサイトは人の行動の合理性を理解することを目指し，「控えめな」やり方で配慮しながら目標を設定するために使用されるべきだと我々は提案します。

　当然，このような望ましいアプローチを推奨するために政策や手段がつくられた方法自体を改善する必要があるかもしれません。それには，すでに述べた政府や企業自体が認知バイアスの影響下にある，という批評にテーマを戻さなくてはなりません。しかし，ここで述べているのは，行動インサイトがより弱くなるのではなく，バイアスによって，より強くなる場合を意味します。現在，行動インサイトは設定や手順に入り込んだバイアスを特定するために使われ，自信過剰のような問題を軽減する新たな方法を示しています。意思決定を行う人をナッジすることは，単に行動科学を無視するよりもパターナリズムの問題に対処できます。

　留意すべき最後の点は，ナッジを支持する人の多くが「中立的な設計はない」と述べていることです。これは，意図していないとしても常になんらかの影響は生まれ，そのうえ有益な方向へと人々を推し進めるという考えに基づいています。しかし，この論拠には明らかに欠点があります。人の行為を判断する際

には常に意図が関与します。人はこれを直感的に感じ取るため，刑事司法制度はこれを基本原理とみなしています。選択アーキテクチャの設計者には相応の責任が伴います。他者の選択を形づくることに着手する人は何を求めてそうしているのか，またそれはなぜか —— パターナリズムの質問に戻ってしまいますが —— という質問に必ず答えられなければいけません。

　二つ目の懸念は，人々を操作するために行動インサイトが使用されるということです。ここでの非難は短絡的に人をだますことや，虚偽の内容を指しているのではありません。無論，我々にそのようないわれもありません。批判されているのは，行動インサイトの介入が人の無意識的な意思決定に関与しているため，介入の受け手が決定を左右されたり，どのように影響を受けたりしたのかに気づいていないかもしれないという点です。そのため，一般人や消費者などの受け手は簡単に影響されないように抵抗したり，異議を唱えたりすることができません。また，介入の多くは継ぎ目がなく，目立たずに伝わるよう精密につくられています。言い換えれば，「これらの手法は暗闇で最も効果を発揮する」のです。

　結果が私たちの好みと一致しており，その結果が気づかないうちに得られたとしても，それは人々自身の結論ではなくむしろ，介入が目的達成の手段として人々を扱ったことになります。つまり，個々の意思決定者は，自分自身で選択して好みを展開する尊厳と行為の主体性を否定されているのです。人々がこれ

からとる行動を顧みて，学び，更新していく機会は否定される
ため，ある意味で行動インサイトは人々を子ども扱いして無力
化しているとも考えられます。

　このような介入は人々を操作するようなものではまったくな
い場合もあるというのが，この懸念に対する率直な反応です。
介入のなかには，思考のより反射的な部分を活性化し，決定の
質を高めるために精密に設計されているものもあります。実際
に，これは前述した「ブーストする」アプローチの基礎となっ
ています。しかし，このようなアプローチが直面する明らかな
問題は，人の無意識的な行動を理解するのがいかに難しいかと
いうことです。特に，私たちには「バイアスの盲点」があり，
他者のバイアスは認識できても，自分自身のバイアスは認識で
きないという傾向があります。また，単にバイアスの存在を示
して，バイアスをなくすように促しても，裏目に出てさらにバ
イアスを増長させる結果になりかねません。たとえば，人を雇
用するときに客観的に見るように言われた人は，より性差別的
観点で判断する傾向があると研究論文で示されています。非倫
理的な過程を避けたいという願望が，逆に非倫理的な結果を生
むことにならないように慎重にアプローチを設計することが必
要です。

　もう一つの方法としては，「介入を公表するという原則」を
利用することです。介入の仕組みが公表される場合に，政府や
企業は行った介入の正当性を進んで主張できるでしょうか。も

し答えがノーであれば，介入の受け手に対する配慮ができていないことになります。問題は，介入の仕組みを公開することが弱い要件であるように見えることです。政策立案者のバイアスについて考察していくと，必ず「介入者の行動理解に動機づけられた推論」を行うことに論点が及び，介入の受け手が，政策立案者の実行したい政策を支持する理由を正当化することになります。

　さらに規則を厳しくすれば，すべての介入は導入される時点あるいは導入された後で公表されなければならなくなります。多くの組織はこの行動規範を奨励しています。のちに述べますが，行政は望ましい結果を生むために自動的意思決定を利用する介入をおそらく支持するでしょう。介入を公表すると，効果は弱くなってしまうかもしれません。この件に関してはさらなる研究が必要ではありますが，人は結果的に異なる行動をとることなしに，自分たちの選択が構築される際のプロセスや因果関係を意思決定前に知ることが可能です。これらの要点で難しいのは，介入を公表するとは具体的にどのようにすることを指すのか，また実際にどのように公表するのかという点です。さらに大まかにいうとすれば，政府の措置が「人々を操作しようとするもの」であると考えられる要素をどのように取り除くか，という点です。このことをチェックするにはいくつかの基準が必要になります。

　このような目的で行動インサイトに関する倫理的問題を評価

する非常にシンプルな枠組みをここで提供しましょう。四つの
要因のうち二つは操作に関連します（すなわち，どう介入が作
用するか）。

コントロール可能性：状況と能力を考慮すると，受け手はどれ
くらい簡単に介入に抵抗することができますか。
透明性：この介入の対象となる人が，どれくらい決定をする瞬
間あるいは決定した後に介入の意図を理解できると考えられま
すか。

　以下の二つはパターナリズムに関連します（すなわち，影響
される行動は何か）。

影響の度合い：行動をしたこと，あるいはしないことによる害
と利益は何ですか。どんなときにその程度が減少しますか。
選好の強度：介入の影響下にいる人の選好がどのくらい強く，
また安定していますか。この判断を裏づけるエビデンスの強度
はどのくらいですか。

　179ページの図14は，相互に情報を与えるそれぞれのグル
ープの二つの要因を示しています。行動による影響は介入の強
度に対して計測される必要があり，透明性のレベルは人がどの
くらいコントロール可能性をもつかに影響します。この四つの

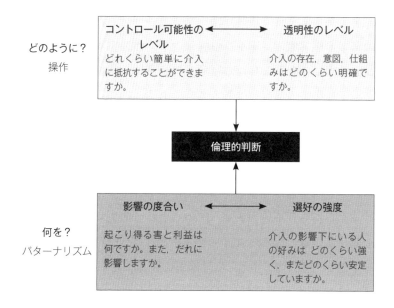

図14

要因を考慮することで，行動インサイトを用いることの倫理的
問題をより構造的に評価することができます。

　この枠組みの補足をします。コントロール可能性の一つの特
徴は，だれかに提供する基本的な選択肢に内在する自由度を扱
っていることです。これらはよく「はしご」の形で示されます。
はしごの一番下は，ただ情報を提供するだけから始まり，選択
肢を提示する，インセンティブやディスインセンティブを提供
する，選択を制限する，抑圧する，選択肢を減らすなど，はし

ごを上がるにつれて規制が強くなるという形で表されます。この基準の簡易版は，第１章の情報，インセンティブ，立法を考察した際に紹介しました。留意すべき点は，同じはしごの段にあっても影響の度合いはさまざまであるということです。そしてこれはコントロール可能性の特徴でもあります。たとえば，情報提供といっても，政府のウェブサイトに製品の栄養成分表示を記載することから，買うかもしれない商品に何が含まれているかを消費者がくまなく知ることができるように行動インサイトから得られる資力をすべて使うという政策まで，幅広く含まれます。鍵となる特徴は，介入をどれくらい簡単に退けられるかという点です。「はしご」のどの位置にあるかも深く関与はしますが，介入に対する自動的な反応に対して，どれだけ簡単に抵抗できるかも同様に関与します。二つ目の特徴に対しては現実的な評価を行わなくてはなりません。行動科学から得たエビデンスを使うだけではなく，状況，経緯，ストレス，モチベーション，そして（可能であれば）認知的負荷も考慮します。

　これらの影響を受けないようにするためには，そもそも影響力に気づくことが重要な要素となります。そして，影響力に気づいておくことは私たちに透明性をもたらしてくれるのです。人が影響され，ある方向に導かれているとどのくらい簡単に知ることができるかが重要です。さらに厳密にいえば，互いに一部重なりのある三段階の透明性に分けて考えることができます。その三つの段階とは，影響の存在，影響の意図，さらには

介入のメカニズムに気づいているかです。図15にそれぞれの
例を示します。

　留意すべき点は，それぞれのレベルは人の熟慮システムお
よび自動システムに直接1対1に対応はしないということで
す。より熟慮システムに関与すればより透明性が上がるという
問題ではありません。たとえば，信号機の仕組みは，実質的に
赤が示す危険や注意という意味を私たちが自動的に感知するこ

透明性の内容	例	影響下にある人がする可能性のある反応
なし	カフェテリアに置く食べ物の配置。目立つ位置に置くことで選択肢のなかから人々が健康的な食品を選ぶようになる。	影響を受けていることはおそらくわからない。
影響の有無	魅力的ではない選択肢を「おとり」として挿入し，比較したときに雑誌定期購読が魅力的に見えるようにする。	「何かが普通ではない，あるいは違う」と感じる。しかし，その差は明確ではない。
影響の有無と意図	「**不作為バイアス**」（何かをしないよりも，するほうが非難を受けやすいと考える傾向）を利用して納税の催促状にメッセージを入れる。	影響され，ある方向に導かれていると認識する。しかし，どうしてかははっきりとわからない。
影響の有無，意図，仕組み	ゴミ箱に向かって緑色の足跡マークを描くことで人を導く，予約のリマインダーに病院へ来なかった場合のコストを書く。	影響の目的と効果がどのように達成されるかを理解できる。

図15

とで機能します。そのため，信号の色が変われば私たちは本能的にブレーキ（あるいはアクセル）を踏みます。しかし意図的なものを含め，この自動システムへの依存はすべて完全に透明なのです。なぜなら，私たちは信号機がどのように私たちに影響するかを知っているからです。一方，ほぼ熟慮システムが関与している場合でも，図15（181ページ）の雑誌の定期購読の例が示すように不透明な方法で影響を受けている可能性もあります。

　結果や意図については，行動インサイト自体というよりも，概してパターナリズムに関係した問題であるため，ここで詳しくは触れません。しかし，行動インサイトにとってそれらは重要な問題です。結果として行動が害や利益を生むかどうか，そして介入を行った人などだれに影響を及ぼすかという質問から始めます。質問の前半はパターナリズム，後半は政府が措置として行える範囲を示しています。しかしパターナリズムといっても，与える害のレベルを知ることは重要です。たとえば，2012年にニューヨーク市長は，16液量オンスを超える容量の砂糖入り飲料の販売を禁止する提案をしました。この政策は物議を醸し，反対意見には人々の自由が除かれ，意向が軽視されているという強い主張が見られました。

　この政策を1998年にイギリスで施行された，一箱に32錠以上入ったパラセタモール（アセトアミノフェン）を薬局で売ること，および16錠以上入った同薬を薬局以外の小売店で売

ることを禁止した法律と比べてみましょう。この禁止法が施行されたことで，増加傾向にあった自殺や中毒の件数に歯止めがかかり，十数年で推定765人の命が救われました。これらの政策が人々の自由に与える影響は類似しています。なぜなら，どちらのケースでも再度購入をすれば，また同じ製品を入手することができるからです。しかし，ほとんどの人がこの2つのケースをかなり異なる視点で見ていることがわかります。というのも，直接的かつ即座に及ぼされる害のレベルが異なるからです。飲料のケースでは肥満という可能性に対して間接的に貢献していますが，薬のケースは命を落とす可能性に直接かつ即座に寄与しています。つまり，結末の問題なのです。

　意図もまた同じように考えられます。明らかに，死のほう助についての議論を考えるとわかるように，自殺という問題に対する倫理は意図の強度や一貫性が上がるにつれてさらに複雑になってきます。最終的に重要なのは，行動に関する意図を理解するために，信頼できるやり方を見つけることが必要だということです。結局のところ，行動科学が示しているのは，我々の意図は選択肢がどう示されるかによって大きく異なるということです。また人は意図とは違う行動をとることもあります。実際には，人がもつ意図の強さを確かめなくてはいけないという倫理的ジレンマが示されているのかもしれません。鎮痛剤の内容量のケースにしても，自傷行為を意図している相当な数の人々にとって，もう一つの店へ薬を買いにいくという比較的労

力の低い行為では，意図を打開するほど強い障壁にはなりません
んでした。

　倫理の問題については慎重に考慮しなければなりません。し
かし，実際には行動インサイトの多くが日常的に使われている
可能性があります。たとえば，手順をシンプルにしたり，情報
を再構成したり，介入のタイミングを変えたりすることなど
です。

- **一般の人々は行動インサイトをどう考えているか。**
  もし行動インサイトを好ましく思っていなかったら
  どうなるか。

　行動に対する介入を導入，調査，批評する人たちが共通して
懸念しているのは，当然のごとく世論です。実際に，政策で決
められたことへ世間が反発すれば，政治的なコストを強いられ，
行政上の資金を迂回させることになります。一方，民間企業の
一つが度を越したビジネスを展開すれば，マーケットシェアに
決定的なダメージを与えることになります。では，どのように
世論を正確に把握し，どのような介入が肯定的あるいは否定的
な反応を呼ぶのかを知ることができるのでしょうか。

　まず，すでにあるエビデンスとしてキャス・サンスティーン
とルチア・ライシュが行った研究を見てみましょう。行動イン
サイトは過去数十年にわたって民主主義社会において広く使わ
れ，考慮されてきた行動に対するいくつかのタイプの介入（二

人はナッジに特化していますが）には，条件つきではあります
が支持が集まっていることがわかりました。対照的に，政府が
強いる命令はかなりの反論を呼んでいます。支持される度合い
に影響を与える要因をいくつか挙げるとすれば，自動システム
に働きかける介入は，熟慮システムに働きかける介入よりも受
け入れられにくいようです。これは必ずしもすべてに当てはま
るわけではありません。しかし，介入の効果が最も発揮される
場面が明確に設計されているほうが，人々に受け入れられやす
い可能性があります。たとえば，セルフコントロールの問題を
克服するための介入などです。

　介入が導入される動機が不明である場合，あるいは予想され
る結果が介入の受け手にとって最善とはいえない選択である場
合にも支持は低くなるかもしれません。たとえば，チャリティ
ーへの寄付をデフォルトにすることです。動機はよいとしても
個々との経済的利害関係はありません。よって，個人が自分の
ために貯蓄をすることがデフォルトとなっている場合とは異な
り，抵抗が生じる可能性があります。

　ここでも政治が重要な役割を果たすかもしれません。研究者
は，人々がある特定の行動インサイトの使用に対して倫理的で
あるか否かの判断は，その介入を立案した政治家やその介入
の目的が自分の支持する政党に依存する，という「党派的ナッ
ジ・バイアス」をもつ傾向があるというエビデンスを示しまし
た。また，一般に自動登録がデフォルトにされているとしたら

どう感じるかという質問に対して，保守派の人々は富裕層が税控除の金額を上げられるのならばその使い方は倫理的であると考える傾向にありました。それに対して，革新派の人々は貧困層への所得補助金額が増えるのであれば倫理的であると考える傾向があることなどがわかりました。この研究が示した結果の最も興味深い部分は，ナッジをツールとして捉えた際，人々がその倫理に関して強い，あるいは一貫した姿勢を本質的にはもっていないということです。人々の観点は，ツールが使われる目的によって左右されるのです。最終的な要点は，行動インサイトのアプローチの普及によって，一般の人々がより受け入れるようになっているという見解もあることです。これは「政策とは政治的課題を設定し，アイデンティティと利害関係を形づけ……何が可能であり，望ましく，そして標準であるかという信念に影響を及ぼしうるものである」という「政策フィードバック」の概念です。

　そうであっても，我々のシンプルな倫理的枠組みが警告を促すのであれば，既存の研究の垣根を越えて直接一般の人の意見を聞くことが良識的かつ有用かもしれません。市民フォーラムのために，一般から無作為に選ばれたメンバーに意見を求めることは，二重の意味で有益です。というのも，まず世論を深く理解でき，さらに介入を再設計（これに関しては最終章で再度触れます）できるからです。市民フォーラムで我々自身が経験して知ったのは，驚くべきことに，おそらく一般の人々は予想

していたよりもパターナリズム的な介入を好む傾向にあるということです。たとえば，オーストラリアのビクトリア州において我々と共同で肥満というテーマに対して行われた「**市民陪審**」では，明らかに不健康な食品の販売をしない除外範囲および砂糖入り飲料の増税と容量の規制を支持する声が多く聞かれました。どちらの介入も，もし政府が民間の意見を聞かずに提案あるいは導入したとしたら，かなりの非難を浴びる内容です。このように市民陪審は，最も代表的な世論と，政策の提案を分ける手助けとなるのです。

　本章では，行動インサイトが直面しているいくつかの難問を考察しました。行動インサイトの基盤であるエビデンスは，本章を読む前よりも脆弱なものに感じるかもしれません。行動インサイトの効果と持続性は一様にすばらしいものとはいえず，倫理的疑問は簡単に回答できるものではありません。しかし，覚えておきたいのは，本章で取り上げた批評は実際には互いに排外的だという点です。たとえば，行動インサイトは効果がないわけでもなく，しかし危険なほどに強いというわけでもありません。本章を締めくくるにあたり，行動インサイトのアプローチへの反論を始めた学者グループが認めた内容を見てみましょう。彼らは「行動インサイトの多様な性質を知るにつれ……，だんだんと政策立案者に向けたインサイトを支持するようになってきた」と述べています。そして，「道徳的な示唆を高く見積もりすぎて，インサイトの多様性と潜在的意義を見く

びって」，行動インサイトのアプローチに対する「風刺的な批
評」をしていたと認めています。このように，我々は同意に達
しつつあります。

第6章

行動インサイトの未来

　行動インサイトという言葉が誕生してから10年あまり経ち，この分野は今，極めて重要な局面に差し掛かっています。最初の10年で行動インサイトのアプローチはかなりの資力を集め，世界中から注目されるようになり，動的なエコシステムのなかで急速に普及していきました。安定した評価が得られているということは結果が出ているということでもあります。しかし，目を凝らして周りを見てみると，政府はいまだに大部分を(伝統的な)経済学者に頼って主要な政策を取り決めています。私たちは日々，EAST(簡単，魅力的，社会的，タイムリー)とは程遠いサービスを利用し，実験は限定的な決定をするためだけに使われています。

　行動インサイトが急速に広まった今，これまでの軌跡を少し振り返る必要があります。行動インサイトのアプローチは，単なるブームとはいえないほど普及しました。しかし，動向はま

行動インサイトのアプローチは，
単なるブームとは
いえないほど普及しました。
しかし，
動向はまだ変動しやすく，
成果は不明瞭です。

だ変動しやすく，成果は不明瞭です。今後数年にわたって行動インサイトを使う人が，その潜在能力を発揮させ，効果を持続させるためにするべきことは三つあります。それは，知見を整理統合する，優先順位をつける，標準化することです。

　一つ目の知見を整理統合するとは，行動インサイトの使用方法により統一性をもたせ，再現性をもってエビデンスや理論が最も信頼できるものであることを確かめ，文化やサブグループ間でどのように研究結果が異なるかを見極めることを指します。二つ目の優先順位をつけるとは，新しい技術と活用法の両面において，最も有益で新しい行動インサイトの方向性を特定して追求することです。そして三つ目の標準化するとは，効果を永続させるために ── 最終的に，私たちが意識して「行動インサイト」という独自概念で呼ばなくなったとしても ── 行動インサイトのアプローチをいかに組織の標準業務に統合するかを意味します。

　本章では，この三つの動きについて検証します。最初は広く，今後どのように既存のやり方を改良し，最大限に利用していくかという技術面に直結した内容から始めます。それからさらに難しい問題として，行動インサイトに内在する葛藤や実行者が迫られる厳しい選択，そして確実に行動インサイトを存続させていくために必要なのは何かを考察していきます。

知見を整理統合する

　これまでの章では，行動インサイトは何らかの設計図に従ってではなく，主に実践を通して発展してきたことを紹介してきました。また，急速に実用化されていったため，実例から何が得られたかを振り返る時間が常にあるわけではありませんでした。その結果，「行動インサイト」というラベルは非常にさまざまな活動につけられました。ナッジは，そのなかでも明確な一例です。セイラーとサンスティーンが設計したナッジの定義にはズレや矛盾があると述べる人たちもおり，彼らの主張は決して間違ってはいません。しかし，セイラーとサンスティーンはナッジではないものもはっきりと示しています。たとえば，課税や禁止はナッジではありません。しかし「ナッジ」という言葉がよく知られるようになると，この種類の介入にも使われるようになりました。同様に，これまでの章で述べてきたエビデンスや原理とはほとんど関係がない多くの活動にも「行動インサイト」が使われるようになり，行動インサイトの原理とかなり矛盾している戦略もあります。

　ある程度であれば，そのような進歩も楽観的に見ていられますし，なかには新たな難問に取り組み，有益に適応されているものもあります（さらなる適応についてはこれから述べます）。行動インサイトのアプローチは実用的であるため，実行者はナッジのような概念の定義がどこまでかの議論は学者たちに託しておくこともできます。しかし一方で，行動インサイトという

言葉の用途を早急にはっきりさせておかなくてはいけない事情
もあります。行動インサイトがうまく広まったのは，興味をそ
そる実験とわかりやすい要約があったからです。そして，それ
らの要因により，たとえ専門知識がなくても，行動インサイト
についての浅い知識を簡単に得られるのです。その結果,「行
動インサイト」という言葉を見境なく乱用(その多くは質の悪
い仕事)する人を生んでしまう可能性をはらんでいます。この
ような風潮のため，だんだんとアプローチ全体の信憑性が低下
し，行動インサイトを理解したい，あるいは使いたいと思って
いる人たちが混乱するようになっています。

　これを解消する一つの方法は,行動インサイトをより明確に,
しっかりと定義することです。そうすれば，その定義を実務と
して具体化したり，間違った使い方をしている人たちに指摘を
したりするためのガイドとして用いることができます。それぞ
れの実務がより強固になれば，よりプロフェッショナルな方法
としての基盤をつくることもできます。そして，基準や認証を
設けるための団体が実際に発足され始めています。もちろん，
いかなる場合も理想的なアプローチを守れる，あるいは守るべ
きといっているのではありません。しかし，何が理想的である
か理路整然とした説明を早急にする必要性を感じています。こ
れは我々が本書を書こうと思った主な動機でもあります。さら
に長い時間をかけて，我々はヒューリスティックやバイアスを
一つひとつ見ていくやり方をやめて，それぞれが相互にどう関

係し，行動インサイトの基盤となっている二重過程理論といかに合致するかに着目しなくてはならないのです。

　行動インサイトの適用範囲やアプローチを強固にするだけではなく，基盤となるエビデンスを見定める力も必要です。つまり，どの研究結果を使い，どれを棄却するのかを問うのです。すでに数種類の見定め方が確立されようとしているのは朗報です。その一つに挙げられるのが，既存の研究から得たデータを組み合わせ，どの概念や使い方が最も効果を見込めるかを見極めるやり方（メタ分析として知られる）です。行動インサイトに関する研究論文が増えるにつれ，それらの結果を統合するメタ分析が多く見られるようになりました。たとえば，ナッジ全般についての最近の研究では，その多くがデフォルトの大きな効果を示していますが，プレコミットメント*1の方法については研究もほとんどされておらず，効果は小さいと考えられます。また，摂取する食べ物を変えるためのナッジに特化した研究もあります。この研究では，環境に工夫を施すナッジ（たとえば，食べ物の配置）のほうが，考え方を形づくるナッジ（たとえば，栄養成分表示）よりも効果が大きいと示されました。

　既存の研究結果に頼る問題点は，第5章で述べたように，その結果の信憑性が疑問視されているものがあることです。プラ

---

*1　プレコミットメント：周囲に宣言しておくことで，宣言どおりに行動しようとする試み。

イミング*2，自我消耗*3，選択のオーバーロード*4など人々
の注目を集めたいくつかの概念では再現性が疑問視されている
ことがわかっています。ですから，結果の再現を試みるという
現在進行中の取り組みは，避けるべきである概念を見極めるの
に役立つでしょう。行動インサイトを使う場合には，このよう
な新たな研究結果にも目を向けて，敏感に対応しなくてはなり
ません。長期にわたって行動インサイトの信憑性を保つために
は，これまで使ってきた知見には結果の再現ができない研究も
あることを認める心構えをしておく必要があります。行動科学
者たちは，認めたくない情報が確証バイアスや認知的不協和*5
に影響されやすいことをだれよりも理解しておかなければなり
ません。我々の最優先課題は，研究者たちが示した理論を守る
ことではなく，実社会での問題に対処することです。そのた
め，主として「何が効果があるか」に専念しなくてはならない
のです。

　当然，「何が効果があるか」を文字通りそのまま考えるだけ
では十分ではありません。行動インサイトのアプローチは今，
だれに，いつ，どんな状況で，何が効果があるかを見極める必
要に迫られています。その答えを出す一つの方法は，入手す
るデータに多様性をもたせることです。研究の被験者として

---

*2　プライミング：人が意識的に気づいていない手がかりに影響される傾向。
*3　自我消耗：精神のエネルギーが低下しているときには自制心が弱くなる現象。
*4　選択のオーバーロード：選択肢が多すぎると購買意欲が低くなる現象。
*5　認知的不協和：矛盾する複数の認知や信念がある状態に不快感をもつ状態。

WEIRDに該当しない人たちを含めるべきであることは，第5章で考察しました。実際，心理学においても異文化間の違いをデータとして収集する研究が増えてきています。

　もう一つの方法は，すでに手元にあるデータのなかに多様性を探すことです。介入の効果には違いがあり，ほかのグループよりもよりよい効果が出るグループがあることは第5章で簡単に触れました。したがって実験で収集したデータ内のサブグループ間の違いを見ることは有用です。サブグループ間での統計的仮説検定を多くしすぎると*6誤った結果を生む可能性もあります。しかし，適切に統計的仮説検定を行えば，行動インサイトの介入に対して各グループがどう異なった反応を示すかという信頼できる結果を新しく得ることができ，より対象を絞って，より明確な結果を導くことにつながります。コンピューターの計算能力や統計プログラムの技術が向上したことにより，こういったテストをさらに効率的に行える新しいデータサイエンスのツールも登場しています。たとえば，「**予測分析**」は大量のデータ内にあるパターンを検出できるため，新たな結論を生み出せます。このような技術は，最近メキシコで貯蓄率を上げるために導入された，さまざまな文言のSMSリマインダー・メッセージを送信する介入の結果分析に使用されました。分析の結果，全体的に最も効果のあったメッセージでも，28歳以

---

*6　サブグループ間での統計的仮説検定を多くしすぎると：5章の訳注の「多重比較」を参照。

下の女性には，ほかの介入よりも大きな効果は見られませんでした。対照的に，29〜41歳の人たちは同じメッセージを受け取った後で貯蓄を増やしました。予測分析は，これらのパターンを検出するのに，有力な新しい方法であることが示されたのです。

　その名が示す通り，予測分析は予測をするのにも役立ちます。つまり分析によって，たとえばローンの支払いを怠る可能性が特に高いグループを特定できるのです。そのため，そのグループに対して先手を打って手助けすることができます。我々は独自に公開されている基礎的な情報にこれらの手法を適用することで，不適切な措置をする医療提供者を確実に予測できることを発見しました。そのうち95％の不適切な提供者は，全提供者のたった20％を調べただけで特定されたのです。明確なのは，行動インサイトは行動に影響を与える最も効果的な介入を設計する「最後の1マイル」の部分を扱うのに対して，予測分析はもっと早い段階で，独自の行動をとる可能性があるグループをより洗練された方法で特定できるという点です。

　しかし今はまだ，このレベルの精密さでグループや状況をナッジと合致させるまでには至っていません。少なくとも，このレベルの知識は民間企業でならすでに得られている可能性もありますが，公開はされていません。行動科学者は入手可能な最善のエビデンスを利用できますが，現段階ではまだどの概念がどの問題やグループに適用されるべきであるかを選ぶには，憶

測あるいはプロの勘に頼るほかありません。ここで問題となるのは、行動科学者の判断がほかの人と同様にバイアスに影響されやすいことです。後知恵バイアスは特に問題です。これは物事が起きてから、起きる前よりもその結果を予測可能だったと考える傾向（「実はずっとそうだと思ってたんだ！」）を指します。行動科学者が実験を行う際に危険なのは、予想もしていなかった結果が現れた後に、結果が出る前に自分たちが行っていた予想の不正確さを忘れてしまっていることです。

　行動インサイトを使う際に、このバイアスに影響を受けないようにする効果的な方法は、自分自身や同僚など（もっと多ければ、なおよい）に予測するよう強いることです（たとえば、「一番効果があるのは介入Ａだと予測する」など）。そして結果が出た後に、再度自分の予測を振り返ります。これは、後日ｅメールの受信設定をするなどして予定に入れておくことができます。予測と結果を比べる利点はいくつかあります。まず、比べることで前後の関係を考慮しながら結果を見ることができ、その結果が驚くべきものであったかそうではなかったかを検討することができます。また、その領域の知識がどう前進したか（あるいはしなかったか）のフィードバックも得ることができます。さらに、自分たちの予測を立てる能力がどの程度のものなのかを、点検することにもつながります。よって、我々は予測を立てることは、行動インサイトのアプローチの標準的な手順の一つとなるべきだと考えます。

　介入を選ぶ際にバイアスを修正することで問題を軽減することはできますが，解決はできません。加えて，何が，だれに，いつ効果があるかという問いに対しては，もっと質の高いより多くのデータ，予測分析のような新しい方法，介入の継続的なテスト，そして（目標がより複雑になるとエラーが起きるリスクは高くなるため）改良された伝達システムといった要因が組み合わされなければ答えを導くことはできません。そして，注意すべき最後の点は，特定のグループに向けて介入を用いることはできるかという質問から離れて，そもそも介入を用いるべきかと問うことです。多くの国々では，行政と企業が，性年代などの属性によらず個人が平等に扱われることを保障する法を設けています。メキシコでの貯蓄率の研究のように，もしも研究対象のほかのグループに比べて28歳以下の女性たちが異なる反応を見せたとしても，この発見に基づいてその女性たちを対象とした介入を行うのは個人を平等に扱うという観点からは適切ではなく，容認されるべきではないかもしれません。一方対象となる人々が以前行った行動に基づいて選ばれた介入であれば，特定のグループのみを介入対象とすることも許容されるでしょう。たとえば，過去に何度も納税の期限を守らなかった人を対象とする場合です。しかし，どこまでが容認できるラインかは曖昧です。顧客にとって有益とはならないかもしれない方法で消費量を上げるために予測分析を用いている企業がその代表例です。

優先順位をつける

　行動インサイトを用いてどんなことができるのかという信頼できる詳細な知識をきちんともつのと同様に，この分野の境界を拡大するために，我々は優先順位を決める必要があります。その一つとして，何が行動の原動力となるのかを完全に把握するためには，その方法と視点を広げなくてはなりません。なぜこうする必要があるのかを理解するには，歴史的背景が少し関係してきます。行動インサイトが登場した当初，政府や企業に提供される行動に関する研究の多くは，人が自分は何をしたのか，なぜそうしたのか，そして今後は何をするかを正確に説明できることを前提にしていました。典型的な例となるプロジェクトとしては，なぜその行動をとったのかを話し合い，新しい選択肢（たとえば，修正したメッセージや手段）に対してどう反応するかを聞くフォーカスグループが挙げられます。そのグループから得た答えは，政策や営利目的の提案をつくる基準として考慮されていました。

　前述したように，行動科学の研究によってこのような分析法には欠点があることが示されました。これらの研究結果は，これまで物事を行ってきた通常のやり方に対して，初期段階の行動インサイトの提案者が新しいアプローチを方向づけるきっかけとなりました。これまで行動を左右する原動力としてアイデンティティ，社会，文化のインパクトが考慮されてきましたが，代わりに着目されるようになったのは二重過程理論です。そし

て，人々に直接モチベーションや反応について尋ねるよりも，彼らの行動に着目するようになりました。その結果，人の考え方や信念の変化よりも，価値観の主な結果指標として行動が考慮されるようになったのです。

　これらは一般論ですが，行動インサイトの視点は，これまでのよくあるアプローチに反して何が新しいのかを示すように特徴づけられてきました。行動インサイトが成功を遂げた今，そのアプローチは適用範囲を広げ，後戻りしては，（新しいものと同様に）一度は放置された要素を取り入れていく必要があります。この工程はすでに進行中で，現在行動科学を利用しているチームは，先人たちよりもずっと学際的です。たとえばカナダでは，設計や共創のようなアプローチにも優先順位をつける"インパクトおよびイノベーションユニット"内に，連邦チームが設立されています。

　また，なぜこれはうまくいったのに，あれはうまくいかなかったのかという理由を明らかにできる定性的なアプローチと，無作為化対照試験のような定量的なアプローチを併せて用いるやり方も増えてきました。質のよい行動インサイトプロジェクトは，変化を示すエビデンスに基づいた理論のうえに成り立っているにもかかわらず（第4章参照），仮説を立てた通りの理由によってその結果が生じたのかどうか確信をもてないこともあります。そのため，定性的な研究を行うことで，さらに深く結果を理解することができるのです。つまり，介入は正しく導

入されたか，ある状況により予想もしなかった問題が参加者に起きなかったか，目標は達成されたとしても，見えない部分に感情的あるいは経済的な損失が参加者になかったか，などを知ることができます。

　たとえば，国際救済委員会とともに英国の行動インサイトチームが取り組んだプロジェクトを例に挙げてみましょう。目標は，タンザニア西部にある難民キャンプで教師による子どもたちへの暴力を減らすことでした。調査のため，問題の発端を特定できるようさまざまな方法を使いました。それには，定性的な研究に深い専門知識をもつ社会科学者，紛争および強制退去によるトラウマに関する専門家，そしてもちろん文化の解説もできる通訳者の協力を得ました。解決策を設計する段階に入ると，状況を考慮したうえで効果のある介入を開発できる設計者と協力しました。また，教師側の視点を理解する人々による援助も必要であるため，ネットワーク分析のアプローチを使って，該当するグループから最も大きい影響力をもつ人を特定しました。さらに，介入の鍵となる部分は，何が引き金となって習慣的に暴力を振るってしまうのかを教師が認識することであるため，我々は認知行動療法の専門家にも助言を求めました。さまざまな人との協力の結果，細部まで考慮された影響力の強い介入をつくり上げることができました。

　あるレベルで見れば，このようなアプローチの拡大は単に，行動インサイトが新しい手法を取り入れているだけに見えるか

もしれません。しかし，これはもっと根本的な部分の変化であると我々は捉えています。もちろん，各専門家が実際の問題に対して理論を適用し，変化を起こし，前もって具体化した行動の結果を測定したという点で，このアプローチは実際のところ機械的であるという非難もあります。影響力の強い手順である一方，能動的にナッジをする側と受動的にナッジをされる側がはっきりしており，極めて直線的で柔軟性のない介入であるとも考えられます。改良するために人々が介入に対してフィードバックできる機会も限られています。そのため，批判的な意見をもつ人の目にはこの設定が「精神的支配」によるコントロールを生じさせているように映るのです。よって，行動インサイトにおいて最優先するべき事項は，より柔軟で，かつ細部にも考慮しながら，新たな思考を能動的に変化させていくことであると考えます。そして，それを実現するために期待されている二つの分野が，人間中心設計とネットワーク分析です。

　設計の最も基本的な定義は，ある目的を達成するために要素を調整することです。設計とは，抽象的な概念や理論ではなく，必ず現在起きていてだれかが経験している具体的な物事に対して施されます。物やサービスはある気持ちや考えをつくり出したり，ある行動を引き起こしたりすることを意図して設計できます。こういった意味では，行動インサイトを使用することは常に設計という側面を含んでいるともいえます。つまり，「選択アーキテクチャ」のような現実的な問題と向き合い，手紙の

文言や待合室のレイアウトがどう大きなインパクトを与えるか
を慎重に考慮するというような設計です。

　しかし，行動インサイトのアプローチの設計は極めてトップ
ダウンです。というのも行動の原理が，ある行動の仕方をその
当事者がいる地元の環境あるいは状況に組み込むために使われ
ているからです。そのため，原理からデザインすることで
（iMacやiPodを見ればわかるように）成功することもありま
すが，ユーザーに十分配慮していないという非難の声もありま
す。しかし実際には，ユーザーが求めていることを理解し，ユ
ーザーの経験を把握し，ユーザーに合わせて積極的に解決法
のプロトタイプをつくることに注力した「**人間中心設計**」，あ
るいは「**デザイン思考**」に近い発想への関心が高まっています。
行動インサイトのプロジェクトは，次に挙げる三つの方法で，
より人間中心設計を組み込むことができます。

　一つ目は，目標とする行動から始めるのではなく（第4章で
述べたように），人間中心設計は人々のニーズと目標を探るこ
とを重要視します。もちろん，人のニーズ（たとえば，ある種
の犯罪をしたいという人々のニーズ）が満たされるのを防ぐた
めに積極的な措置を講じて，政策を扱わなければならない場合
もあります。しかし，人々がニーズを満たすために選んだ手段
を，行動インサイトというツールを使って理解する一方，行動
インサイトの目標はもっと人々のニーズに目を向けることだと
考えます。

　とてもシンプルな例として挙げられるのが「デザイア・パス*7」です。デザイア・パスとは，実際に道がない部分に人々が残した足跡でできた道のことをいいます。つまり，最短で人々がここに道があるといいと感じているルートを示しており，公式に設計された道とは別のルートを示している可能性もあります。人間中心設計の設計者は，デザイア・パスで印されたルートを厄介だと考えずに，よい機会だと考え始めています。たとえば，カリフォルニア州立大学バークレー校や，バージニア・テック（バージニア工科大学）などの大学では，実際に歩道をつくる前に人々が草のうえを歩いた足跡を参考にして歩道のルートを決める取り組みがなされています。

　同様の原理は，さらに複雑な状況にも適用されています。たとえば，イギリスの政策立案者は近年，国にある病院の救急外来の許容数に関する問題を抱えています。これらの問題は，軽度の病気であっても救急外来を受診する人がいるためであることがわかりました。システム計画者は，より効果的な方法でこのような軽症者に対処するもう一つの選択肢（「緊急ケアセンター」のようなもの）をつくりました。しかし，これはあまり支持されませんでした。この状況下で，政策立案者は，人々が「適切な」施設を受診するように促す，あるいはナッジするために行動科学を使うこともできます。しかし，より人間中心設

---

*7　デザイア・パス：本来は道がないが近道のために人々が通ることでできる道（desire path）からの類推で，利用者が設計者の思惑とは異なる思惑で行う行動を指す。

計的なアプローチは「デザイア・パス」を参考にすることです。すると，人々が救急外来を受診するのは完全に理にかなっていることが見えてきます。緊急ケアセンターはあまり知名度もなく，救急外来と違っていつでも受診ができるわけでもなく，その役割が不明瞭であるため人々を逆に混乱させてしまっていたのです。したがって，そういう人々は「救急外来に行く」という行動を誘導するヒューリスティックを使っているのです。救急外来を受診することは彼らにとって都合がいいため，行動を変えるのは難しいといえます。そこで，このインサイトを，人々の行動を変えるのではなく，救急外来と急を要さない人が受診する外来を同じ場所に設置するなど，サービスを適応させるという方向に変えてみます。言い換えれば，人々の行為主体性をより深く認識し，彼らのとる行動を変えようとするのではなく，その行動の周りにある事がらを設計しようと試みてみるのです。

　二つ目に，人間中心設計は人々の信念，気持ち，行動についてその人自身がする解釈に重点を置いています。行動インサイトのアプローチは，自分自身でサービスを利用するのと同様に，徹底的な観察を行うような没入型手法の必要性を強調しています。しかし，行動のもつ自動的な性質と認知的な盲点がそこかしこにあることを前提とすると，（人間中心設計でよく利用されている）自己報告には懐疑的になるべきでしょう（ただし，人間中心設計についての最も著名な本でも，「人々は自分が本

当に必要としているものを認識していないことが多々あり，直面している困難にすら気づいていないこともある」と指摘されています）。我々は，人が自身の経験をどう見ているかにもっと注目し，実際に行われた行動により注目して知見を広げていく余地があります。

最後に，人間中心設計はユーザー，およびスタッフの積極的な参加を推奨しています。前述したように行動インサイトには自動システムの働きを妨害し，人々に考えさせて熟慮システムに引き込むという使い方もあります。たとえば，犯罪を減らすための，男になる（Becoming a Man）という名称のプログラムは「若者が立ち止まって，自身の考えと行動は自分の置かれている環境に適しているか，その環境を違う見方で解釈することができるかを自らに問う手助けをしたこと」で，効果があったようです。シカゴに拠点を置いているこのプログラムによって，逮捕率は28〜35%減り，高校の卒業率は12〜19%増加しました。

次なる明らかな優先事項は，人々が自分の置かれている環境を設計したり，改めたりするのを手助けするために，このようなアプローチを人間中心設計と組み合わせることです。これは，「職場，取締役会，大学，宗教団体，クラブ，そして家族間でも」ナッジを広く使うことができるというセイラーとサンスティーンの視点と関係しています。しかしまた，人々はいつもヒューリスティックを効果的に使っており，その能力を高めることも

できると主張する行動科学の一面と重なる部分でもあります。

　もちろん，人々が自分自身で変えようと苦労している環境では，政治や政策が変わる必要性がある場合も多くあります。第5章で考察したように，行動科学に頼っている政策を検討するために討議民主主義のツールを使うケースもあります。しかしこのような関与には，ただある政策について話し合ったり承認したりするだけではなく —— 健全な民主主義や市民とのつながりにとって重要ではありますが —— もっと広い可能性を秘めた利点があります。そして非難が集まる部分ではありますが，行動インサイトを使うことで実際に人々とのつながりを築くことができるのです。

　最も基本的なレベルでは，まず市民活動に参加するよう人々をナッジするために行動インサイトを使うことができます。これが自動システムに働きかけるナッジだったとしても，目標は熟慮システムを使うような活動に人を確実に参加させることです。そして，行動インサイトはよりよく審議するための仕組みを設計することに対しても用いることができます。こういった活動の多くはグループ単位で行われます。ところが，グループは集団分極化，利用可能性カスケード*8，自己検閲などの問題に脆弱であることが行動科学によって示されています。よって，討議を行う設定内で真っ当な論拠が通用するとは期待できませ

---

*8　利用可能性カスケード：真偽にかかわらず，利用しやすい情報をいろいろな人やメディアが言及することで自己増殖し大きな影響を与える現象。

んが，エビデンスをもとにした設計を用いることで論拠の通用が可能になります。

　行動インサイトは関係者の広範囲な関与のきっかけとなり得ます。第1章で述べた食べ物の例に戻りましょう。もし人々が，周りの環境によって自分たちの選ぶ食べ物が大きく違ってくるというエビデンスを積極的に意識するようになれば，人々はそのような影響力を利用した政策を求め始めるのかもしれません。実際に，第5章で例示したビクトリア州での肥満に関する熟議フォーラムでは，人々の意見は極めて急進的で，影響力を行使した政策を求める兆しが見えていました。しかし，行動インサイトは別の貢献も可能なはずです。政府あるいは立法者自身をナッジするというものです。そして，そういった試みは実際に結果を出しているというエビデンスもあります。

　この可能性は行政に限られたことではありません。人々は企業をナッジしてみることもできます。たとえば，イギリスではFair Tax Markという制度が設立されました。これにより，租税回避を行っていない企業を非営利団体が認可する仕組みがつくられました。Fair Tax Markは，消費者と企業の行動を強制せずに変えるための明らかな手がかりを消費者に与えているという点で，標準的なナッジと考えられます。ですが，このナッジはある政策の目標を達成するために自発的につくられました。

　人間中心設計は，行動インサイトが人間の営みとより深くか

かわり，機械的な世界観から大きく離れ，新たな領域を拓くために大変役に立つ可能性があります。我々は，ネットワーク分析にも同様の可能性があると考えています。ネットワーク分析は，行動が相互関係を通じてどのように広がるかを探ります。行動インサイトのアプローチは社会心理学から発生したこの疑問を無視しているわけではありません。しかし，介入の設計や分析に関するもっと新しいエビデンスを取り入れる必要があります。ネットワーク分析にはいろいろな種類がありますが，「**複雑適応系**（CAS）」アプローチは，特に有用であると考えます。このアプローチを端的にいえば，それぞれが個々の戦略やルーティーンに応じて動く，たくさんの要素からなる動的ネットワークで，相互に複数接続されています。それぞれは絶えずほかの要素の動作に対して動いたり，反応したりしながら，置かれている環境に適応していきます。ある行為をする主体どうしは相互に関係しているため，変化は直線的でも単純でもありません。小さな変化が大きな結果へつながることもあります。同様に，大きな取り組みでもほとんど変化を生まないこともあります。

　重要なのは，このような相互作用から，まとまっていてわかりやすい行動が見えてくる可能性がある点です。つまり，システム全体が単にそれぞれの部分の総和以上の何かを生み出せるのです。市場，森林，街においても同じことがいえることを考えると，我々はネットワーク効果がいかに広範囲に及んでいる

かを理解し始めたばかりといえます。たとえば最近の研究で，
人は前もって確信して支持する党の政策を区別しているのではなく，実際には偶然に分かれることがあるということが示されました。アメリカに焦点を合わせたこの実験では，民主党派であるか共和党派であるかを申告した参加者を募りました。参加者は10種類のオンライン上につくられた「世界」の一つに割り当てられ，20個の声明に対して賛成か反対かを尋ねられました。これら20個の声明は公共問題に関係し，どちらの党が掲げた声明であるかわからないように構成されています。つまり人工妊娠中絶や銃を所持する権利についてなどではなく，「現行の抽選による陪審制度は，権限を与えられたフルタイムの専門的陪審員制度と入れ替えるべきである」や「ソーシャルメディアのサイトは人々の日常生活に有益な影響を与える」といった声明への賛否が質問されました。

　仕掛けとして，十のうち八つの世界では，民主党派あるいは共和党派のほとんどの人が各声明を支持していると参加者に告げられました。つまり，他者との政治的な一致関係が明確な条件ということです。一方，ほか二つの世界では参加者に他者の意見は告げられず，単に各声明への賛否が尋ねられました。すると驚くべき結果が出ました。他者の意見が明らかになっていない場合，各声明への支持は民主党派と共和党派の間にほとんど差異がなかったのです。一方，他者がどう声明を評価しているかを告げられている場合は，党派心による強い分裂が見られ

ました。つまり，人々は自分が支持する党に同調したのです。

　この実験の魅力的な部分はここからです。八つの異なる世界で「民主党」あるいは「共和党」派の支持を集めた声明は大きく異なったのです。共和党派が新しい陪審制度を支持した世界もあれば，反対した世界もありました。党派心による団結は，すでに存在するイデオロギーの立場を考慮した視点というよりも，どうやら「簡単に別のほうを向かせることもできるかもしれない，ちょんと押すだけの行為」によってつくられたのかもしれません。ある曲や本を予想外にヒットさせる仕組みと同様の効果は，一見根本的で解決困難な社会問題をも動かすのです。

　ネットワーク分析（特にCAS）は，行動インサイトのアプローチが柔軟性に欠け，個人主義的で，機械的にならないようにする手助けができます。また，RCTの直線的な手順では計測できないかもしれない介入のインパクトを理解する新しい方法を与えてくれます。たとえば，オーストリアでテレビの受信料が未払いの可能性がある50,000人を対象に，支払いを順守させるために異なった文言が書かれた催促状を送った実験を見てみましょう。これは第4章で紹介した例と同じ手順をたどった標準的な介入です。

　しかし，介入をつくった人たちは結果をさらに掘り下げて，実施後分析を行いました。位置データを使い，だれがだれの近所に住んでいるかを調べました。分析でわかったのは，ある世帯の支払いは，同じネットワーク内にいる隣人が催促状を受け

取っていた場合には，その世帯自体は催促状を受け取っていな
かったとしても順守する率が上がるということです。言い換え
れば，介入により行動に表れた効果は，人々が催促状について
隣人に話すというソーシャルネットワークを通じて広がったの
です。実際に，この効果は催促状を受け取ったというインパク
トと同じくらい大きく，支払いを順守する人が5~7％増えま
した。

　行動インサイトのアプローチは，もっとこのような分析を
する必要があります。RCTの多くは，このような波及までは
計測できず，介入を受けた個人のみに着目しています。事実，
RCTの全体的な要点は，対照群をこのような「汚染」から守る
ことでもあります。しかし，我々はどのように行動が広まって
いったかを理解するためにもっとネットワーク分析を利用する
べきなのです。そして，介入のインパクトを最大化するために，
種々の行動ごとに波及効果がどう異なるかを調べる必要があり
ます。我々に必要なのは「ネットワークを考慮したナッジ」な
のです。

　さて，さらにより広い最終的なCASの使い方を挙げてみま
す。前述したように，解決法を設計して実行するために，行
動インサイトのプロジェクトはしばしばトップダウン的（直線
的）な問題解決のアプローチをとります。しかし，複雑なシス
テムにおいては，原因と結果が直接つながっている状況などな
いのかもしれません。1969年にハーバート・サイモンが見出

したように，私たちは別の直接的ではないアプローチを必要と
しているのです。つまり，「街や建物や経済のように複雑なシス
テムを設計するときには，仮定した効用関数を最大化する
システムをつくろうという目標を捨てなければならない」ので
す。その代わり，望ましい行動がシステム上で起きるように個
人と組織がかかわることができる条件を理解しなくてはなりま
せん。

　我々はまだスタートしたばかりです。特定の行動を起こすよ
りも，公共財に対する「ゲームのルール」をつくり直すことに
もっと着目した，行動面における知識を考慮した規制への関心
が高まっています。しかし，実際のところ「コントロールの錯
覚」に悩む政策立案者に，多くの行動科学者が手を差し伸べて
いる状況です。コントロールの錯覚とは，ある出来事を通して
政策や介入の直接的なインパクトを過大評価する傾向です。こ
の現象は特に，変化が直線的ではない複雑適応系を扱っている
ときに起こりやすく，こういった状況でどう行動に変化が起き
るのかを理解する必要に迫られています。

標準化する

　ここまで行動インサイトのアプローチの知見を統合する必要
性について考察してきました。また，行動インサイトのアプロ
ーチをつくるうえで優先すべき新しい方法を検証しました。そ
して本章を締めくくるのに，章の始めで提示した質問を振り返

望ましい行動が
システム上で起きるように
個人と組織が
かかわることができる条件を
理解しなくてはなりません。

ってみることにします。行動インサイトのアプローチの可能性を最大限実現するにはどうすればよいのでしょうか。

意思決定者が新しいタイプの問題に行動インサイトを用いてみるというのも一つの明確なやり方です。たとえば，自動運転の車の開発は，人間の行動と明確なつながりがないように見えるかもしれません。しかし，世界中の政府と開発者の出した結論は違いました。たとえば，シンガポールの交通省が自動道路交通委員会を設立した際，我々の同僚であるローリー・ギャラガーをメンバーとして迎えました。

ローリーの任務は，想定されうる難題を特定し，そして解決策を提案することでした。たとえば，コントロールの錯覚によって，ドライバーは実際に運転するよりもA地点からB地点まで安全に移動できるという気持ちにさせてしまい，望ましくない方向へと運転者を導いてしまう可能性があります。同様に，最もよく知られている優越バイアス[9]の例は，運転技術の自己評価です。もしほとんどの人が自分は平均よりも運転がうまいと考えているとしたら，肝心なときにコンピューターにコントロールを預けたりするでしょうか。行動インサイトが成長するにつれ，意思決定者はこれらを純粋に技術面の問題であるとは思わなくなっていくだろうと，我々は考えています。

しかし，すべての問題が同じように重要であるとも限りませ

---

[9] 優越バイアス：平均よりも自分は上であると思う傾向。

ん。そして第5章で概要を述べた批判の内容は，行動インサイトのアプローチは，大きな貢献をしていたとしても，「流れをさかのぼった（問題の根本に対処できるような）」戦略的意思決定の大きな問題には，十分なインパクトを残せていないというものでした。そのようなインパクトをつくるため，ここでの解決法は行動インサイトの方法を改善する技術的なものではないことを認識する必要があります。代わりに，これを政治的問題として見なさくてはなりません。

　実際，行動インサイトチームや専門家は，「知識のブローカー」あるいは仲介者の役割を担っていることが研究で示されています。巧みな知識の仲介者は，（民間にせよ公共分野にせよ）アイデアを実践に移す際の混沌とした状況を正しく理解しており，自分たちの価値を示せる機会を探しています。知識の仲介者は意思決定者のなかに自分たちの権威や信用を確立するネットワーク，地位，戦術を発展させることに目を向けています。よって，本当に必要なのは，上層の意思決定に影響を与える機会を得るために，知識を仲介する能力を高めることです。

　厄介なのは，この知識を仲介する能力を高める必要性によって，第1章で概要を述べた行動インサイトのアプローチの三つの柱の間に葛藤が生まれてしまうことです。つまり，実用主義への専念が，エビデンスと評価への専念と対峙しているのです。いつもかたくなに無作為試験を行ってばかりいては，行動科学の専門家たちは上層の意思決定から締め出されてしまうかもし

れません。そして広範囲なエビデンスのレビューは常には可能ではなく，政策立案にはエビデンスと政治的価値の両方が組み込まれなければならないことを認識できなくなってしまうのです。反対に，本章で述べたように，行動インサイトの原理を急進的なやり方で適用すると，行動インサイトが本来もつべき一貫性を損なうことになります。

　ですから行動インサイトを上層の意思決定に組み入れるには，厳密性と実用主義の間のバランスを見つけることです。実用主義は実行できる立場を保証し，厳密性は結果を成功に導くよりよい機会を与えます。さらに長期の目標としては，そのような地位を築くことで，一般的に政策や戦略がつくられる方法がよりよくなっていくことです。事実として政策立案そのものに影響を与えるバイアスは数多くありますが，我々はそれらを軽減する提案も用意しています。鍵となるのは，それを実行する機会を得ることなのです。

　これらを踏まえて，最後の要点にたどり着きました。ここ10年あまりで，行動インサイトに対する関心は高まっています。しかし，もしかするとある時点からこの関心は薄れ，注目はどこかへいってしまうかもしれません。抗えないような主張をもったほかのアイデアも現れるかもしれません。ローリーが自動運転車の件で呼ばれたように，人々は行動インサイトの専門家を「取り込む」ことをやめるかもしれません。もし本当にそうなるのであれば，すぐにすべき優先事項は，政策がつくら

れたり，組織が運営されたりする標準的な方法に行動インサイトを組み込むことです。そうすれば，人々が「行動インサイト」による解決法を求めてこなくても利用されるようになります。

　実際に，これこそが行動インサイトの究極の目標だといえます。行動インサイトの原理は実務の標準的なやり方のなかに浸透し，「行動」の解決法やアプローチという考え方が意味をもたなくなるべきなのです。第1章で述べたように，ほとんどの政策や行政サービスは人々の行動にかかわっていますから，行動に着目するのは付加的なオプションではなく，本来的な実行を改良することができます。そのため，「行動公共政策」という狭い視点で議論するのではなく，我々は単によりよい公共政策（あるいは企業戦略）について考えればよいのです。ある意味では，行動インサイトについて話すのをやめることが，行動インサイトの真の目標が果たされた兆しとなるのかもしれません。その日が来るまで，我々のやることはまだまだたくさんあります。

行動インサイトの原理は
実務の標準的なやり方のなかに浸透し，
「行動」の解決法や
アプローチという考え方が
意味をもたなくなるべきなのです。

用語集
※本ページは本文中に太字で示した用語の一覧となります。

第1章
行動インサイト（Behavioral insights）→15ページ
人間が意識的および無意識的にとる行動をエビデンスとして，可能な範囲で実際の問題に応用したり，結果を評価したりする方法。

選択アーキテクチャ（Choice architecture）→27ページ
選択肢の構築や提示のやり方。

妥協効果（Compromise effect）→27ページ
与えられた選択肢から中庸を選ぶ傾向。

介入（Intervention）→32ページ
ある結果を得るためにとる措置。

無作為化比較対照試験／実験／評価（Randomized controlled trial/experiment/evaluation）→33ページ
介入が測定された結果に影響しているかを，実験者が推測できる評価方法。試験参加者を無作為に対照グループと，介入を受けるグループに割り当てて，グループ間の結果を比較することで行う。詳細は第4章を参照。

デフォルト（Default）→35ページ
あえて選び直さなければ，あらかじめ選ぶように設定されている選択肢。

社会規範（social norms）→35ページ
他人からの評価を考慮して，何が正常あるいは普通であるかという認識に沿って行動する傾向。

行動インサイトチーム（Behavioral Insights Team）→37ページ
別名ナッジ・ユニット。「人間がとる行動のより現実的なモデル」を政策や業務に利用できるよう検討するため，2010年にイギリス政府内に結成されたチーム。

第2章

フレーミング（Framing）→39ページ
特に強調や順序などの情報の示され方。たとえば，以下の二つの表現は内容が同じだが，フレーミングが異なる。10人中9人が税金を期限内に納めた。10人中1人は税金を期限内に納めなかった。

確証バイアス（Confirmation bias）→39ページ
事前の信念を支持する情報を探したり，注目したり，覚えたりする傾向。

単純接触効果（Mere exposure effect）→39ページ
ある物体や人への親しさ（度重なる露出）が，その物体や人をもっと好きになることにつながる現象。

行動経済学（Behavioral economics）→40ページ
経済行動がさまざまな要因によってどう影響するかを調べた学問。新古典派経済学のもつ考え方とすべては一致しない（またすべては相違しない）。行動経済学は，心理学，社会学，人類学などの分野の研究結果や方法を用いる。

効用（Utility）→40ページ
消費者あるいは受益者にとっての行為，物品，業務の価値を測る単位。

ホモ・エコノミクス（Homo economicus）→41ページ
何が価値を最大化するかという基準だけで決定をする行為者。ホモ・エコノミクスは，何度でも一貫性のある決定をし，無限の意志力をもち，決定をする際にはすべての情報を考慮する。

限定合理性（Bounded rationality）→41ページ
人は選択をする際，最善の選択をする（「最大化する」）よりも，十分な（「満足な」）選択をする度合い。

ヒューリスティック（Heuristic）→42ページ
入ってくる情報が複雑な場合に，決断を下す助けとなる簡素化されたルールあるいは経験則。ヒューリスティックは実用的で，最善ではなくとも十分な結果を生み出せる。

利用可能性ヒューリスティック（Availability heuristic）→44ページ
頭に簡単に思い浮かぶ事がらをより重要と感じたり，起こりやすいと推論したりする傾向。

損失回避（Loss aversion）→45ページ
損失を抑えるコストが損失を抑えたことの利益を上回ると予測できたとしても，損失を最小限に抑えようとする傾向。

メンタル・アカウンティング（心的会計）（Mental accounting）→47ページ
金銭を特定の使用目的のために頭のなかの「口座」に入れておき，それぞれの口座内で金銭を出し入れすることを渋る傾向。この傾向は，金銭を交換可能（すなわちどんな目的にでも使える）として扱う標準的経済理論に反している。

二重過程理論（Dual-process theories）→50ページ
人には主に，論理的で熟考された遅い思考と，自動的で速い思考の2種類があることを共通した基礎原理としてもつ理論。ダニエル・カーネマンはこれらの思考の二重モードをシステム1（ファスト）とシステム2（スロー）に分類し，リチャード・セイラーとキャス・サンスティーンはこれらを自動システムと熟慮システムと呼称した。

生態学的合理性（Ecological rationality）→55ページ
意思決定の合理性は，不変の原理に基づいているのではなく，決定をする状況によって変わるという考え方。よって，置かれている状況にうまく適合していれば，ヒューリスティックが意思決定をする最善方法と考えられる。

自信過剰（Overconfidence）→59ページ
自分自身の能力や判断を，実力よりも高く見積もる傾向。

ナッジ（Nudge，Nudging）→62ページ
決定をする人が，選択肢のうちからある一つを選ぶように設計された選択アーキテクチャ。これらの設計は無意識に人がとる行動をエビデンスとして取り入れ，選ぶ権利は損なわずに決定をする人の利益を高める狙いがある。

実践行動経済学（Nudge）→62ページ
2008年にリチャード・セイラーとキャス・サンスティーンが出版し，話題となった「ナッジング（突く）」という発想を紹介した書籍。

第3章
対照群（Control）→89ページ
無作為試験において，通常以外の追加の介入を受けていないグループ。

ピーク・エンドの法則（Peak- end effect）→95ページ
ある経験の質を，そのピーク時と最後を基準にして判断し，結果として同じ経験に含まれるほかの事がらは最小化される法則。

第4章
COM-B →111ページ
行動を起こすには，能力（Capability），機会（Opportunity），モチベーション（Motivation）という三つの要因が関与しているというモデル。

EAST →121ページ
行動科学から得られたインサイトをまとめた枠組み。人は，簡単で（Easy），魅力的で（Attractive），社会性があり（Social），タイミングが適切（Timely）である行動を起こしやすいという基本原理をもつ。

検定力計算（Power calculation）→129ページ
統計的検出力を決めるためにする実験の主な特徴（統計量）のデータを用いた計算。

偽陽性（False positive）→129ページ
実際には差異はないが，治療と介入群間に有意な差異があると統計的仮説検定で示された結果。

偽陰性（False negative）→129ページ
実際には差異があるが，治療と介入群間に有意な差異はないと統計的仮説検定で示された結果。

介入群（Treatment group）→131ページ
無作為化試験で介入を受ける参加者が属するグループ。

第5章
テンプテーション・バンドリング（Temptation bundling）→150ページ
やる必要はあるが，やりたくない行為をするモチベーションを高めるために，その行為に魅力的な行為を結びつけること。

用語集

再現性の危機（Replication crisis）→153ページ
心理学や科学の分野において，画期的な実験を再実行した際に同じ結果が得られない不具合。

お蔵入り効果（File drawer effect）→157ページ
学術研究において，前例がなく，興味深い驚くべき結果が過剰に公表されることで，研究者たちが予想できる無効な結果を発表せず，「お蔵入り」にすることにつながる。この効果は平均的な（意外性のない凡庸な）仮説が新しい知見となる可能性を歪めるだけでなく，偽陽性[*1]のある結果が発表される可能性を示唆する。

帰無仮説（Null hypothesis）→157ページ
ある実験における介入群と対照群の結果に差異はないとする仮説[*2]。帰無仮説は試験開始時の仮定であり，適切な統計的仮説検定の結果，グループ間に有意な差異が見られた場合には退けられる。

内的妥当性（Internal validity）→161ページ
ある研究において，使われている研究方法が因果関係を示せる度合いの強さ。

外的妥当性（External validity）→161ページ
一つの研究結果が，その試験集団以外の人々にも一般化できるかを測る度合いの強さ。

WEIRD試験対象集団（WEIRD population）→161ページ
学術研究で過多とされる試験対象集団。主に欧米人（Western），教養がある（Educated），工業化された（Industrialized），豊かである（Rich），民主主義（Democratic）という社会出身者がこれに当たる。

ビッグファイブ（Big Five）→163ページ
広く使われている性格特性の分類。開放性，誠実性，外向性，協調性，神経症傾向の五つに分けられる。

ダークパターン（Dark patterns）→167ページ
決定を下す人にとって，最善ではない結果を選ばせようとする選択アーキテクチャの使用方法。

[*1] 偽陽性：ここでの偽陽性は「先行研究と比べて新しい・興味深い仮説が，正しくないのに正しいと判断されてしまう」ことを指す。
[*2] ある実験における介入群と対照群の結果に差異はないとする仮説：相関が無いなど，厳密にはこのような介入群と対照群の平均の差が無いという仮説以外の帰無仮説も存在する。

スラッジ（Sludge）→167ページ
使用者の妨げとなるように，手順に抵抗や不一致が導入されている「ダークパターン」の一例。

不作為バイアス（Omission bias）→181ページ（図15）
ある行為をするかしないか決定を迫られたときに，しないことを選ぼうとする傾向。その理由の一つは，人はその行為をしないという選択をしたほうが非難されにくいと考えるためである。たとえば，人がだれかに毒を盛ることよりも解毒剤の投与をしないことのほうが厳しい非難を避けられる。

市民陪審（citizen juries）→187ページ
何が望まれて受け入れられるかという代表的視点を集めて政策の指針や目標を方向づけるために，国民を参加させること。

第6章
予測分析（Predictive analytics）→196ページ
過去に人々がとった行動を情報として，大規模なデータセットに分析技術を用いて将来の行動を予測する方法。

人間中心設計／デザイン思考（Human-centered design／Design thinking）→204ページ
人々の求めるものを理解し，手順，方策，製品，業務をそれぞれのニーズに最も合うよう形づくるためにデザインの本質を展開すること。

複雑適応系（Complex adaptive systems/CAS）→210ページ
それぞれが個々の戦略やルーティーンに応じて動くたくさんの単位からなる動的ネットワークで，相互に複数接続されている。これらの因子は適応し，自立している。つまり，それらは縦横無尽に変化するため，行動全体は構成要素から予測できない。

著者

マイケル・ホールズワース／ Michael Hallsworth

アメリカのコロンビア大学の助教授（非常勤）。ロンドンのインペリアルカレッジで行動経済学の博士号を取得し，同大学の名誉講師も務めている。現在は「Behavioral Insights Team（BIT）」の北米オフィスのマネージングディレクターで，政府や国際機関向けの開発方針とサービスの設計にも携わっている。彼の作品は『*The Lancet*』『*Journal of Public Economics*』『*Nature Human Behavior*』などの雑誌に掲載されている。

エルスペス・カークマン／ Elpeth Kirkman

キングス・カレッジ・ロンドンの政策研究所客員主任研究員で，「Behavioral Insights Team（BIT）」のシニアディレクター。2015～2018年はBIT北米オフィスの創設者兼マネージングディレクターとして従事。現在はNesta（イノベーション関連の慈善団体）へ出向中。

監訳者

星野崇宏／ほしの・たかひろ

慶應義塾大学経済学部教授。2004年3月東京大学大学院総合文化研究科博士課程修了。博士（学術）。博士（経済学）。情報・システム研究機構統計数理研究所，名古屋大学大学院経済学研究科等を経て現職。理化学研究所AIPセンター経済経営情報融合分析チームリーダーを兼ねる。2019年より行動経済学会副会長。2021年12月より行動経済学会会長に就任予定。著書に『調査観察データの統計科学：因果推論・選択バイアス・データ融合』（岩波書店）などがある。

翻訳者

亀濱 香／かめはま・かおり

文化女子大学卒。ハワイ大学学士課程修了。外資系企業の社内翻訳者，ハワイアンフラの講師や通訳・翻訳者を経て翻訳家となる。訳書に『*The Wagyu Book*（和牛＆肉ガイドブック）』（実業之日本社），『サイエンス超簡潔講座　遺伝』（ニュートンプレス）などがある。

BEHAVIORAL INSIGHTS

MICHAEL HALLSWORTH AND ELPETH KIRKMAN

行動インサイト

2021年11月15日発行

著者	マイケル・ホールズワース, エルスペス・カークマン
監訳者	星野崇宏
訳者	亀濱 香
翻訳, 編集協力	株式会社オフィスバンズ
編集	道地恵介, 鈴木夕未
表紙デザイン	岩本陽一, 田久保純子
発行者	高森康雄
発行所	株式会社 ニュートンプレス
	〒112-0012 東京都文京区大塚 3-11-6
	https://www.newtonpress.co.jp

ISBN 978-4-315-52471-0